続・最後の場所

NO.13

題字・組版／梅村城次

きれぎれの感想〜「憤怒」を超えて（2023年7月）

菅原則生

①『ゆきゆきて、神軍』を観る

このドキュメンタリー映画は一九八七年に公開された。主人公は「神軍平等兵」を名乗る奥崎謙三（一九二一年生まれ、撮影当時六二歳）。奥崎は一九六九年、天皇参賀のおり皇居前広場で、天皇の戦争責任を叫びながらパチンコ球数発を天皇に射ったことで懲役になったことがある。最も凄惨な戦場だったといわれるニューギニア戦線の生き残りで、戦争への強烈な憤怒、とりわけ「天皇制」への憤怒を抱えて戦後を過ごしていたことが知れる。ウィキペディア等によると、奥崎が所属した「独立工兵第三六連隊」一三〇〇人中、生還したのは一〇〇人（生き残りは十人ほどという説もある）で、ほとんどが飢餓と伝染病による死亡だったといわれている。奥崎は苛烈な敗残兵掃討から生き延び、捕虜となったあと敗戦から一年ほどして日本に引き揚げてきた。

天皇が「降伏宣言」をした一九四五年八月一五日から二〇日以上過ぎた日に、第三六連隊のうちニューギニア・ウエワクに残留を強いられた「残留隊」内部で、アメリカなどの連合国軍の包囲下で追い詰めれたなか、兵士二人の内部処刑があった。処刑された二人は奥崎とは別の分隊で、敗戦後、奥崎が戦死した「戦友」の「慰霊行脚」の途次でそれを知った（いつごろそれを知ったかは不明）。誰が二人を処刑したのか、その理由は何か、奥崎の憤怒に火がつき、処刑された兵士二人の妹と弟を伴って追及しはじめる。そして処刑が行われた分隊を突き止める。処刑に関わった六人それぞれに会いに行き、なぜ処刑したのか、どうやって処刑したのかを個々に問い詰める。はじめに、処刑に関与した分隊長Mは、上官からの命令で射殺した、理由は「敵前逃亡」であることを言葉曖昧に仄めかす。だが現場に自分はいなかった、自分は命令を伝えただけだ、射殺したのは分隊のほかの五人の部下だという。それから、その五人それぞれを問い詰めるのだが、二人が処刑されたのは「人間を食べたから」「敵前逃亡したから」「命令されたから」など理由を曖昧にする。「行き過ぎた凶暴性が発揮」され処刑に至った動機ははっきりしない。そして、自分は「銃口を逸らした」「自分の銃には空砲しか装塡されていなかった」というように言葉を濁す。そして、何人かが「とどめ」の銃弾を撃ったのは分隊長Mだったと証言する。分隊長Mが「自分はその場にいなかった」と初めに言ったのは「嘘」だったことになる。憤怒に燃える奥崎は分隊長Mを再び問い詰めようと銃を持って（殺意を秘めて）分隊長Mのもとへ向かうが、分隊長Mの息子に止められてその息子を撃ってしまう。「殺人未遂」で逮捕された奥崎は懲役一二年の刑で服役する……というのが、おおよその「あらすじ」だ。この映画が公開されたとき奥崎は刑務所にいた。

関心を惹かれる点がいくつかある。ひとつは、奥崎が抱えていた「憤怒」「被害感」は、戦後数年の大衆のほとんどが抱えていた、狂気に似た「憤怒」であったであろうということだ。そして戦争体験者・吉本隆明もまた同じような激烈な「憤怒」を抱えていた。吉本は『高村光太郎』などで、もし支配層に対する「反乱」や「異常な事態」が起これば いつでも身を投じるつもりだった、と述べている。

わたしは、絶望や汚辱や悔恨や憤怒がいりまじった気持で、孤独感はやりきれないほどであった。降伏を肯じない一群の軍人と青年たちが、反乱をたくらんでいる風評は、わたしのこころに救いだった。すでに、思い上った祖国のためにという観念や責任感は、突然ひきはずされて自嘲にかわっていたが、敗戦、降伏、という現実にどうしても、ついてゆけなかったので、できるなら生きていたくないとおもった。こういう、内部の思いは、虚脱した惰性的な日常生活にかえっていたから、口に出せばちぐはぐになってしまうものであった。こころは異常なことを異常におもいつめたが、現実には虚脱した笑いさえ蘇った日常になっていたのである。わたしは、降伏を決定した戦争権力と、戦争を傍観し、戦争の苛酷さから逃亡していながら、さっそく平和を謳歌しはじめた小インテリゲンチャ層を憎悪したことをいっておかねばならない。もっとも戦争に献身し、もっとも大きな犠牲を支払い、同時に、もっとも狂暴性を発揮して行き過ぎ、そして結局ほうり出されたのは下層大衆ではないか。わたしが傷つき、わたしが共鳴したのもこれらの層のほかにはなかった。支配者は、無傷のまま降伏して生き残ろうとしている、そのことは許せないとおもった。戦後、このときのわたしの考えが、初期段階のファシズムの観念に類似したものであることを知った。降伏という事態によって、いままで社会には貧富の差があり不合理だというところから富者に嫌悪感をもっていたわたしは、やはり、漠然とであるが、社会には支配者と被支配者があり、戦争でも、敗戦で平和になっても、支配者はけっして傷つかず、被害をうけるのは下層大衆だけなのではないか、とはじめてかんがえはじめた。わたしは、出来ごとの如何によっては、異常な事態に投ずるつもりであったことを、忘れることができない。

（吉本隆明『高村光太郎　敗戦期』一九五七年初出、勁草書房版から引用）

だが吉本はその「憤怒」について「初期段階のファシズム」の感情・観念だと評し、戦後一〇年経った頃からしだいに離脱してゆく。奥崎との違いはなんだろうか、と考える。

もうひとつの関心は、「処刑」に加担した五人の兵士は奥崎の追及に、『新約聖書』の、キリストが逮捕されて刑場に引き立てられて行くとき、沿道の大衆から「お前はキリストの仲間だろう」となじられて「知らない」と答えるペテロたちのようにたじろぎ、「嘘」をついていることだ。これは「罪」なのだろうか。奥崎は処刑に加担した五人を追及するとき彼らが「真実」を告白すれば赦してもいいと考えている「審判者」ように振る舞っている。けれど五人は、追及されることは迷惑だ、本当のことをいえば誰も生きていけないと考えていて、「真実」を話そうとしないで小さな「嘘」を重ねる。「真実」を告白するというのはどういうことか。「事実」を話せても「真実」かどうかはわからない。処刑した兵士たちは、たしかに銃の引き金を引いたかもしれないが、餓死に瀕し米軍に完全に包囲されたなかの全滅寸前の天皇制の軍隊の一員として、人間以前の鬼畜同然の集団の一員としてそうしている。むしろ、追及して処刑した五人をなじる奥崎が「善」で、たじろぎ「嘘」を重ねる兵士が「悪」だというのは大いなる錯誤ではないかというように、映画の観客としての視点が変化してくる。

問い詰められている処刑に加担した兵士はとても惨めだ。戦後三〇年ほどを生きてきた六〇歳前後の元兵士（おっさん）は病床についている者もいて、臥せている元兵士（おっさん）に奥崎は殴りかからんばかりに問い詰める。家人が押しとどめるのも聞かずに威丈高に病人（元兵士）を組み伏せ問い詰める奥崎も悲惨で、警察沙汰になったりする。この場面は映画の中で観客をわしづかみにし、言いようもない迫力でせまってくるようにおもえる。もちろん、処刑された二人の兵士も惨めで、映画に参加している制作者も含めた全てが「負の感情」に支配されて、どこにも行き場がなくて惨めなのだ。

わたしの父は奥崎たちと同じくらいの年齢で、南方の「激戦地」から命からがら痩せこけて引き揚げてきた、と親戚から聞いたことがある。それ以上のことを父は語らなかったし、語ろうともしなかった。わたしも聞くことをしなかった。もしかしたら、この映画の処刑した兵士たちの経験と近かったのかもしれないとも思う。わたしが生まれたのは戦後四、五年したころだ。父はわずかばかりの自家の田畑で百姓仕事をし、農閑期になると近所の土木作業に日銭稼ぎにいったりして微々たる収入を得ていた。楽しいことがあったのかどうかもわからない、言葉を荒らげることもない、特別な賞罰もない、普通の大衆だったと思う。戦地から帰還して戦後の二〇年ほどを生きた。戦争期も惨憺たるものだったと思うが、戦後もひどいものだったと思う。晩年は病床にあったが、父の病床に戦争責任を問う「奥崎」があらわれたとしたら、わたしは「奥崎」に立ち向かっただろうと思う。

わたしの父は戦地で「行き過ぎた凶暴性」を発揮したのだろうか、それともしなかったのだろうか。そう問うことは無意味だ。問題はそのことではない。どちらかだったのだろうし、どちらでもいい。すべてが鎮魂されること、どちらでも等価なのだというところまでイメージできるかが問題なのだ。

「奥崎」は憤怒を抱える「被害者」からいつのまにか、処刑した兵士と同じ「加害者」に入れ替わってしまっている。その自己矛盾に自身で気づかない。

天皇の「敗北宣言」のあとの一九四五年九月二〇日ころに、米軍に包囲され餓死寸前のニューギニアに残留を強いられた数人の小部隊で理不尽な「処刑」が行われた。「食人行為」が行われたかもしれないし、「敵前逃亡」があったのかもしれない、もっと「虐待」に近かったのかもしれない。そして生きて帰還した兵士たちは「なにごともなかった」かのようにそれぞれの地域社会・生活に帰還していった。それぞれがやった戦争下の「残虐行為」について素知らぬ顔をして生活に埋没していったという言い方もできる。ほとんどの国民が「頬かぶりして」やり過ごしたのだということもできる。そして奥崎もまた大勢に紛れてそれができれば良かったが、強烈な「憤怒」にとらわれてそれができなかったという言い方もできる。その意味では奥崎がはまりこんだ位置もまた「悲劇」だといえる。だが、奥崎に決定的な錯誤があった。それは戦後の地域社会・生活になにごともなかったかのように帰還していった普通の大衆たる兵士のことを「さっそく平和を謳歌しはじめた」「無傷のまま戦後に生き残ろうとしている」というふうに錯誤していることだ。

戦地から地域社会・生活に「なにごともなかった」かのように帰還するというのは尋常ならざることなのだ。つい このあいだまで、随所で憤怒がくすぶり、社会全体がその途次だったともいえる。誰もがさらりとやっているようにみえるけれど、「生まれ婚姻し子を育て、子から背かれて（介護し、介護されて）死ぬ」というのは、そこへ帰還していくというのは、難事中の難事なのだ。

平時の生活に帰還していったといっても、殺し・殺される、命令し・命令されるということの悪夢が突然よみがえり、意味不明の呻き声を発することがあった。歌謡曲のセリフじゃないが「フルキズ」が唐突に疼き、いつ横合いからブスリとやられてもおかしくなかった。そうやって、小さな悪事や善事に手を染めてどうにか「おっさん」として生きてきた。敗戦後、一〇年たち、二〇年たち、「奥崎的な憤怒」は社会の支配的な軸から局所・部分にずり落ち、沈み込んでしまった。そして敗戦から八〇年近くなった現在（高度消費資本制社会のもとで）、その憤怒はほとんど「喜劇」の位相に滑り込んでしまった。その憤怒が真にせまればせまるほど神聖なる「喜劇」に変質してしまったともいえる。

つまり、「正義」を前面に押し立てて「悪」を威丈高に指弾するすべての「ジャスティス」こそが疑問に晒され、否定され、無化されなければならないのだ。社会の一隅で生き延びてきた「初期段階のファシズム」の観念・感情が変質を遂げてソフトな「社会ファシズム」の主軸におどりでつつあるのが現在だ。ある一つの局面では「善」であり得ても、別の局面では「悪」であるというように社会が多様化してしまった、自分と自分をみているもうひとりの自分が分裂を強いられているのが現在だともいえる。いいかえれば、その分裂に耐え得なくなって、ソフトな「社会ファシズム」に総体としてなだれ込んでいるのが現在ともいえる。

この映画『ゆきゆきて、神軍』の場合、奥崎よりも問い詰められている元兵士（おっさん）のほうが優位なのだ。

②『ぼくらの戦争なんだぜ』を読む

三上治の『流砂』を読んでいたら、高橋源一郎の『ぼくらの戦争なんだぜ』を褒め、推薦している三上治の一文に触れたので、わたしも読んでみた。『流砂』に書いている別の著者ははっきりと、この本に異論をはさんでいる。結論からいえば、戦後数十年積み重ねられた「考えること」の営為をなかったことにして、頭の先から足の先まで「善良」な啓蒙主義者に変質してしまった高橋源一郎のこの本を否定できなければ、わたしたちはおしまいなのだ。かつて高橋の書いたものがそれほど嫌いではなかったので、吃驚し落胆した。文学＝悪の華を咲かせようとした高橋はどこにいってしまったのだろう。

この本の特徴をまとめるとすれば、呑み込みの悪い（と高橋が感じている）学生・生徒に、他人ごとではない、自分ごとの「戦争」を易しく噛み砕いて「先生」として「外部注入」しようとするものだ。だが、学生・生徒は高橋が考えるほどバカではないし、教えられたふりをしているだけで、けっこう楽しくやっているような気がする。現実を逆さまにみて、自分を苦しくする必要などないのだ、現実を見たいように見ればいいのだと半畳を入れたくなる。昔、「文学よりも政治が優位だ」「文学は政治の手段だ」という政策理念が支配した時代があった。その時代に戻ってしまっているのだ。

この本がいわんとするのは、つづめていえば、「戦争」は人間を巻き込み知らず知らずのうちに極限状態に追い詰め、知性や理性を崩壊させて、敵を撃ち殺したり女性を強姦してしまうものだ、だから平時からそうならないための強い知性や意志を確立すること、そう「覚悟」することが「戦争＝行き過ぎた凶暴性」を回避する唯一の道筋だということのように思える。

鶴見俊輔は、戦争中、インドネシアで、英語の短波放送を聴いて日本語に起こし将校に伝える仕事をしていた。だが、戦争末期になって、戦局が悪化すると、青酸カリを持ち歩くことにするようになったそうだ。前線に送られれば、意志が弱い自分は、強姦したり、敵兵を射殺するだろうと思えたからだ。鶴見さんほどの優れた哲学者、思索家にとっても、「左手」の役割を果たせるのは、「ことば」ではなく青酸カリだったのだ。（高橋源一郎『ぼくらの戦争なんだぜ』…「左手」とは、敵を殺す「右手」を制止するものの比喩…引用者注）

鶴見さんは、戦争前にアメリカのハーヴァード大学に留学した。ハーヴァードで、一九四〇年には、日本人の留学生は鶴見さんひとりだったそうだ。その後、太平洋戦争が始まり、卒業直前の鶴見さんは、ＦＢＩに逮捕されたりもした。鶴見さんは、日本が負けると思っていた。アメリカに残る選択肢もあったけれど、負ける祖国の下にいたいと思って帰国した。その後、兵士として暗号解読の仕事についた。そして、前の章で書いたように、いつ自殺してもいいように青酸カリの小瓶を持ち歩いた。なぜそう思ったのか。自分は弱い人間で、「非常時」には、兵士として人を殺したり、関係のない現地の女性を犯したりするだろうから、そうならないために準備をしたのである。

この事実を知った上で、この文章を読むとき、ぼくは、深く考えさせられる。

鶴見さんは、あの「戦争の時代」に、理性を失うことなく、人として戦争に反対しつづけた。その背後にあったのは、まずなにより知性だった。（同前）

「ハーヴァード大学」の鶴見さんのようにではなく、普通の大多数の兵士たちは戦場で「行き過ぎた凶暴性」を発揮して残虐行為を行なった。それは「鶴見さん」のような知性や覚悟がなかったからだということになる。その知性を「究極の善良性」とでも呼ぶべきなのだろうか。そして、普通の大衆を「鶴見さん」のような知性をもった存在に「引き上げる」ことが戦争＝「行き過ぎた凶暴性」を回避する唯一の手立てだということになる。そう書いていないがそういうことになる。あたかも、自分の「死」を、知性や覚悟があれば体験できる、といっていることと同じだ。そして普通の大衆は「行き過ぎた凶暴性」のうちに取り残されたままだ。

わたしと同時代に（一九七〇年に）「連合赤軍事件」が起こった。武装蜂起・革命を目指した学生集団が警察から追い詰められて仲間十数名をリンチ・殺害してしまった事件だ。大半が逮捕されて主導者と目される二人が一九九三年に最高裁で「死刑判決」を受けた。そのとき、吉本は「閉じられた集団が追い詰められて孤立した場合、仲間を疑い、殺し合いにまで至ることはありうるし誰も止められない。むしろ、自分はそうならないというのは誤りで、誰にでも起こりうると考えるべきであり、例外などない。『死刑判決』を出した裁判所は、集団内部で殺害が起こったなまなましい『契機』に触れることなく、個人の特異性格に殺害の原因を矮小化している。裁判所に『死刑判決』を出す資格はない」という旨の発言をしている。「自分だったらそうならない」というのは百パーセント誤りだと述べている。つまり、これらの殺害は、個人の自己倫理の強度の問題ではなく、「個人と逆立する共同性」が関与している問題であり、個人の倫理、性格に還元できないのだ、と。言い回しは正確ではないが、随所でそう述べている。吉本のこの発言は自身の戦争体験から来ているものだ。

高橋（あるいは鶴見）は、個人の「知性」や「善良な倫理観」があれば、これらの仲間内の殺害は起こらなかったと言いたげだ。「青酸カリ」を心の中に持っていれば起こらなかったと言いたげだ。そして知らず知らずのうちに「法」によって裁く側の位相に滑り込んでしまっている。

鶴見の「戦場で敵を殺さないという意思」が可能かどうかの議論は一九六七年の吉本・鶴見対談「どこに思想の根拠をおくか」で討論の議題にのぼっている。鶴見の「人間は人間を究極的に裁くことはできないし、人間がほかの人間を肉体的に抹殺しうるだけの正当な思想的根拠をもつことはない」という発言は、自分はどんな場面でも人を殺せないし（殺せと命令することもできないし）、そうせざるをえないのであればその前に「青酸カリ」で自死するという話につながっている。

吉本　あなたの考え方はわかりますよ。了解はできます。ぼくも鶴見さんのように戦争体験とかかわらせていえば、自分にとって国家権力が最大の問題になるわけです。戦争中人間的な判断力をある程度もっていれば、あなたのいわれる卑俗な場面では、これはにせものであるとか、これはだめだとか、支配者の言動についも、戦争中の大衆の個々の動きについても、みんな判断できた。これはいやだとかそういうことは始終あるわけですね。要するにあらゆることを疑うことはできた。しかし、最後の判断、つまり国家権力を疑うとか否定するとかいうことだけはなかったということが、戦争体験のなかでの自分の遺恨、恨みとするところです。そういう問題意識はまったくなかった。これが遺恨としてあるわけでしょう。だから、安保闘争のときでも何でも、どうやったら国家権力を棄揚できるのかということが絶えず念頭にあるわけです。これこそがぼくにとっては戦争体験、それから戦後体験を通じてのいちばん眼目になる問題ですよ。ここがあなたとちがうところだと思うんです。（中略）

鶴見　私は全体の状況からみれば自分を同伴者とみとめます。しかし同伴の根拠は毛沢東の思想でもないし、マルクス主義が私の根拠になっているわけじゃありません。私の同伴の根拠は、単純な一種の懐疑思想ですね。人間は人間を究極的に裁くことはできないし、人間がほかの人間を肉体的に抹殺しうるだけの正当な思想的根拠をもつことはないだろう。そういう考え方が根拠にあるわけで、マルクス主義の思想とはちがうわけです。（中略）

戦争中に、万年二等兵でいる三〇歳ぐらいの兵隊がいて、そういうのは先に立って人をなぐったりしないんですよ。一等水兵ぐらいがなぐる。あとで、あんな子供ももったことのない連中が、人をなぐってたまるかなんて、かげでぼそぼそ言うわけです。私は反戦論者だったから、一人で孤立していて、こわくてたまらない。そういうとき、こういう人たちのあいまいな感情が安らぎの場だったわけだ。こういうあいまいな人間の感情というものはいいものだなと感じて、その中へ自分が住みつくというか、寄生するような仕方で戦争を耐えてきたものだから、国家批判という姿勢も、こういう人間のごく普通の、あいまいな感情の中へ部分として住みつくことができる、それはある種の可能性をもったものだ、こういう部分に呼びかけていきたいという気持ちがずっとあって、「声なき声」にも参加したわけです。これはゆるくゆるくという組織です。(中略)

吉本　ぼくは、大衆のとらえかたが鶴見さんとはものすごくちがいますね。ぼくのとらえている大衆というのは、まさにあなたがウルトラとして出されたものですよ。戦争をやれと国家からいわれれば、支配者の意図を越えてわっとやるわけです。たとえば軍閥、軍指導部の意図を越えて、南京で大虐殺をやってしまう。こんどは、戦後の労働運動とか、反体制運動では、やれやれと言われるとわっとやるわけです。裏と表がひっくり返ったって、それはちっとも自己矛盾ではない。大衆というものはそういうものだと思う。だから表返せば大衆というものはいいものだし、裏返せば悪い、まったくどうしようもないものだということになるわけです。こういう裏と表をもっているのが、ぼくに言わせれば大衆というもののイメージなのですね。戦争中に国家権力が采配を振ればわっといくし、中国みたいに毛沢東が采配を振ればわっとやる。これが大衆だと思うのですよ。しかし、ぼくはそのことで大衆を悪だとは考えないし、大衆嫌悪には陥らない。

鶴見　私にとっては、何だあいつはわけもわからないくせにとぶつぶつ言いながら、半身の姿勢で戦争に協力していたような人たちが、大へん重要な大衆のイメージです。

吉本　ぼくのもっている戦争中の大衆のイメージはそういうものじゃないんだな。赤紙一丁くれば、インテリゲンチャみたいにぶすぶす言わないで戦争に行くわけですよ。国家の命ずるままに、妻子と別れて命を捨てるために出ていくというのが先験的なのであって、その内部に、あの上官はおもしろくないとか、そういうぼそぼそがあるわけです。赤紙一丁で命を捨てるために出ていく、反体制運動でも同じで、わっとやれば指導者の意図を越えてしまう。これがぼくのもっている大衆のイメージですね。

（鶴見・吉本対談「どこに思想の根拠をおくか」一九六七年、勁草書房版から引用）

吉本の「大衆」像は、表がえせば温和で情緒豊かないいものだが、裏返せば支配層の意図を超えてとことんやってしまい、「南京で大虐殺」をやってしまう存在だ。鶴見のそれは、陰でボソボソ言いながら戦争に協力し、曖昧な態度に終始する存在だったし、それが一つのやすらぎだったと述べている。

吉本は、自分を含めた「行きすぎた凶暴性を発揮する大衆」を客体視すること、それは同時に戦争中は疑いもしなかった「戦争権力＝天皇制」を根底から疑うことであった。「大衆の凶暴性」を吉本は肯定しているように鶴見はいうがそれは違う。最終的にそれをどう捉えるのかが問題だといっている。そしてそれ以外のこと、ボソボソ反発しながら戦争に協力するというのは「心理」の問題、「心理」のヴァリエーションにすぎないものだった。もちろん、吉本が生命をかけて戦争にのめり込んでいったのもヴァリエーションのひとつだった。どこが違うのかといえば、戦争へののめり込み方が違うのだが、重要なのは敗戦後に自分を含めた大衆を丸ごと客体視しようとしたことだ。「戦争権力＝天皇制」を否定するために客体視しようとしたことだ。

高橋源一郎は鶴見が「戦争に反対しつづけた」といっているが、心のうちで反対しながら「戦争に協力した」のである。微妙だが、「戦争に反対しつづけた」わけではない。これははっきりさせておいたほうがいいのだ。「戦争に反対しつづけた」というのは嘘だといいたいのではない。そのことにこだわらなくていいのではないか、「戦争に反対しつづけた」ことと「戦争に協力した」ことが決定的な違いではなく、それは等価であり、どちらでもいい「心理」の問題に過ぎないといえばいえるということだ。

高橋は『ぼくらの戦争なんだぜ』の末尾のほうで蛇足みたいに、太宰治は「戦争小説家」であったとしている。

太宰が戦争中に国家から「戦争賛美」する小説を書けといわれて書いた「散華」と「惜別」は、表向きは戦争に「協力する」作品だが、随所に反戦の「秘密のメッセージ」が隠されている、と書いている。「新説」に触れてびっくり仰天した。太宰を美化しすぎている。何のためにそんな必要があるのか。むしろ太宰は「右」でも「左」でもなく、市民社会のルールを逸脱してしまった「無用の存在＝文学者」をまっとうしようとしてそうしたのである。太宰に「反戦」の気分はあったかもしれないが、大衆が戦争に加担し死のほうへ行くのなら自分も死のほうへ行くというのが太宰の精いっぱいの態度だった。太宰もまた「死に装束」に身をかためて戦争に臨んだのである。そうであるがゆえに敗戦という大転換を経て戦後に永らえて生きる姿を晒せなかったほどダメージを受けた。

ちょうど一年ほど前、奈良で選挙応援中の安倍元首相が、山上徹也に山上自身が作った銃によって殺害された。すぐに山上が統一教会に深い憤怒を抱いていたこと、統一教会と安倍との浅からぬ繋がりを知った山上が安倍にも憤怒を抱いていたことが明らかになった。

「報道」をみるかぎり、ここまで虐げられ、追い詰められれば「殺意」がきざすのも無理からぬことのように思えた。だが「報道」は、神経症的なお題目のように「民主主義」や「法」に対する挑戦・冒瀆であるという一色に染まっていった。そして山上が置かれてきた境遇への同情は隅に追いやられていった。わたしは、山上が安倍晋三を殺害するのは無理からぬことだといいたいのではないし、山上に同情を寄せるべきだといいたいのでもない。安倍晋三というのは歴代の首相の中でも、抜きんでた「悪」だという印象を持っている。たとえば憲法九条を無視して「集団的自衛権」を恣意で合法化したことだ。そして最たるものは二〇一八年、西日本豪雨による災害が拡がるさなかにオウム真理教の一三人に対する死刑を一斉に執行したことだ。わたしは小さからぬ「憤怒」を持ったことを憶えている。だが、「とりかえしのつかないこと」を実行しようとは思わない。わたしが善良だからではない。

問題は、なぜ、ある人は殺意を持ち殺害を実行してしまうのに、ある人は殺害を実行しないのだろうか、その差異は何かということだ。「民主主義」に対する知性が足りないから実行してしまうというのはあまりに皮相なのだ。また、周囲に累が及ぶから実行しないのだろうか、それ自体が虚しいと考えるから実行しないのだろうか。

わたしたちはある人物に殺意がきざすことがある。また自分がそう思われているかもしれないと思うことがある。けれども、心の中にきざした殺意を実行に移すことはほとんどない。また別の言い方をすれば、殺意を持つことと殺害を実行することは深い繋がりがあるように見えるのに、実際には、強い殺意を持つのに殺害が実行されなかったり、それほど殺意がなくても殺害が実行されることがありうることだ。

そう考えれば、「殺意を持つ」ことと「殺害を実行する」ことはまったく別の系列・次元のことなのではないかと考えることもできる。親鸞の「歎異抄第十三条」はそのことをいっている。

又あるとき「唯円房はわたしのいうことばを信ずるか」とおおせあったので「その通りです」と申しあげたところ「それではわたしのいうことに背かないか」と重ねておっしゃったので、つつしんで了承の旨を申し上げると「たとえば人千人殺してみなされや。そうすれば往生は一定になるだろう」とおっしゃったが、そのとき「おおせではありますが一人もじぶんの身の器量では殺せおおせるともおもわれません」と申し上げますと「それではどうして親鸞のいうことに背かないなどと云うのか」と申され「これでもわかるだろう。何事も心にまかせたことならば、往生のために千人殺せといえば、その通り殺すだろう。けれども一人でも殺すべき業縁がないので殺害しないのである。じぶんの心が善いから殺さないのではない。また殺害しまいとおもっても百人千人を殺すことだってあるにちがいない」とおっしゃったのは、わたしたちが、心の善いのを「よし」とおもい、悪いのを「わるい」と思ってしまって、本願が不思議の力でわたしたちをおたすけになっているのをわきまえないことをおっしゃったのです。

（吉本訳『歎異抄』第十三条、吉本『親鸞の言葉』から引用）

殺害する動機があっても殺害しないことがあり、動機がなくても殺害することがありうると明瞭に述べられている。ある人が殺害してしまうのは「業縁」があったからだし、殺害しないのは「業縁」がなかったからだと述べられている。意思と行動は因果関係ではないという「行動」の像が浮かび上がってくる。

高橋（あるいは鶴見）の言い方では、知性がないから殺すことになるが、ここでは「心が善いから殺さないのではない」、また「こころが悪いから殺すのでもない」と述べられている。こころばえが悪いから殺すという「意味」「因果」の系が切断されている。

わたしたちは、親鸞の、いったんは「浄土」に往ってこちら側を視ている「還りがけ」の視線、「向こう側からこちらを見ている」視線にであっている。その視線は、「殺害する」ことも「殺害しない」ことも個人の意思を超えた何か（業縁）によるものだ、そして、「殺害する」ことは「業縁」があったからだというように「結果的解釈」しかできないのだと述べている。すると個人の所為ではなくなり、「罪」の概念はまったく別のものになる。

もう少し踏み込んでみる。「業縁」とは遠い共同性から飛来するものだ。小さな村落の共同性、郡や県の規模の共同性、もっと包括的な国家的な共同性、それらの錯綜とした共同性が折り重なって、共同性と共同性が接するところで不可解な強制力が発生している。その強制力がわたしたちを戸惑わせるものを「業縁」と呼んでいるのではないか。するとわたしたちは、「何もおこなわない（非行）」という沈黙において、とことん生き抜いて、業縁（吉本の言葉に変換すれば共同幻想）と対峙し業縁を無化すればいいことになる。

イメージにとっての幼児性、資質
——『友だちのうちはどこ?』、カフカ『城』、大衆の原像

伊川龍郎

『友だちのうちはどこ?』というイランの映画を見た。素人のこどもが演じていて、おとなの世界とは別のこども特有の世界を描いている。

〈学校の場面1〉

田舎の小学校の朝。先生が教室を見回りしている。モハマッドが宿題をやってこなかったのでこっぴどく叱られている。次は退学だと怒鳴りつけられた。隣の席のアハマッドも浮かない顔をしている。この二人の困った表情がふつうにいう演技とは思えない出来だ。帰宅したアハマッドは宿題をしようとかばんを開けると、モハマッドのノートが入っている。まちがって一緒に持ち帰ってしまったらしい。宿題ができなくて困っているだろう。このままでは退学させられてしまう。

〈家の場面〉

家では母親は全速力でかけずりまわっている。一家の洗濯、掃除、食事の買い出しに料理、そして乳飲み子もいる。学校から帰ってきた息子の姿を見るや、さっそく用事を言いわたす。アハマッドは先にノートを返しに行かなくてはいけないと一生懸命伝えようとするが、母親の耳には一つも入らない。母親を説得するのはあきらめて、こっそりノートをもって家を抜け出していく。

〈町の場面〉

アハマッドは別の町に住んでいるモハマッドのうちを知らない。そこら中の人に聞いて回るが、だれも知らないという。やっとモハマッドのいとこをつかまえたが、逆にモハマッドの方はアハマッドの住む街に向かって走っていったという。それを聞いてとって返すが、祖父につかまってしまい、タバコをとってこいといいつけられる。タバコを見つけられずに戻ると、こんどはたむろしているおじさんたちにつかまってしまう。もう日が暮れた。街の迷路を心細くなりながらさまよう。結局目的を果たせず家に帰った。家には黙したままの父親がいる。

〈学校の場面2〉

翌朝学校にいくがモハマッドはまだ来ていない。おっかない先生の見回りがもうすぐ始まると思ったとき、モハマッドが教室にはいってきた。アハマッドは苦肉の策で友だちの分の宿題までやってある。先生がとうとう二人の机のところまで来た。「よくできたな」といった。（そんな流れです）

学校にはとてつもなく怖い先生がいる。家に帰ると母親は忙しく家事をこなしていて身なりにかまう余裕もない。父親は黙りこくっている。街の道端には用件があるのか暇なのか、おとなたちがあつまってタバコを吸っている。少年にどういう内面があろうと、それぞれが壁のように微動だにしない現実としてある。

アハマッドの思い込みは未開性と言い換えていい。中にはうまく向こう側の時間に溶け込んでいるこどももいる。その場合は、幼児が多量に持っている受動性が優っているか、もはやおとなの仲間入りをしているのだ。

この映画では主人公がこっそり母親やおとなの目を盗んで家を脱出し、ごまかしてともだちの分まで宿題をしたりと、こどもの世界から現実への通路をこども自身で作っている。アハマッドは幼児期を出かかっていて、学校、母親、おとなたちの関係の外側に思いをつなげることができる。仮に迷路と暗闇にとりかこまれても駆け抜けるだけの勇気と知恵がある。映画はそれを見事にとらえている。かつて吉本隆明が映画『Ｅ・Ｔ』を評した「幼児性の勝利」という言葉を思い出した。ドラマなどでこどもを主役にすると、こどもを聖なる人形にしたてて堕落した感動を呼び起こしがちとなるのだが、イランの監督と素人俳優たちはよくやった。

学童期は、毎朝家から学校に向かい、集団で勉強や運動をするようになる。それがどれだけ幼児性を規範で矯正できるかは、教育する側の主要なテーマだ。しかし他方では、おとなたちの視線の圏外で、同年齢くらいのこどもたちと遊んでぶつかりあい、想いを通わせるようになる。家と学校の外では、こどもたちの間に独特な掟がつくられている。そこでは掟を破ることは、世界からの追放を意味するというくらい恐ろしいことだ。強い者と弱い者の区別がはっきりして、傷をつけたりつけられたりしながら、意志の力は弾力性を持つようになる。そうして家族の境界線を確実に越えていく。中には自分だけはいつも負け組で、不当に損をしているという思い込みが重なって、生涯の径路に刻み込まれてしまうこともあるだろう。

この映画を見て自分が幼少年期に身にしみた、とまどいと痛さがよみがえった。イランの少年たちは思い切りやっていた。早期教育などといって早々に幼児性を押し殺してしまうことの残酷さを思い返した。

◆

小学生のときのこと。兄が都内の塾に通うような優等生だったあおりで、母親はぼくにも「グリップ」「アタック」といったドリルを買ってきた。ぼくは表紙も紙面も構成も大嫌いでさぼった。学校ではある日教室で、いつのまにか窓の外を眺めているぼくの姿が、先生の目にさわって叱られた。別の時、先生の話が聞こえていないなら、保健室で耳かきをしてもらって、耳のゴミを持ってきなさいと叱られた。ぼんやりは幼児性の大事な活動であるとは反論しなかった。

本は自分のペースでよいから好きで読んだが、勉強は適当だった。中学に入ると定期試験があって、いい点数をとるとそのまま通信簿に反映されるのでやる気が出てきた。兄が試験対策の段取りを教えてくれた。これが大きかった。その調子で中一、中二まではいけたが、高校がつながった学校だという理由で、中三、高一、高二は勉強活動的にはたるみきった時期となる。退屈な授業中は、ノートの端っこにパラパラマンガを描いた。ともだちと会ってギターを弾いたりビートルズを聞いた。本も読んだ。さぼりすぎた科目の先生には多少悪かった気がする。

虫が好きでたまらなかったファーブルは、昆虫の動きを観察しつづけてノートし、時間を忘れた。それが何になるかは別の問題だ。とりあえず夢中になれることを見つけたのだ。朝ドラの「らんまん」ではのちに植物学者として名を残す牧野富太郎が、来る日も来る日も草花の一つひとつの特徴を、目で見て詳細にスケッチしている。それで家業をつぶした迷惑大将だ。これらは自然の風景に囲まれていることで安心するのは間違っていると思う。ゲームでもアニメでもいい。選びとったものに思いをいたせば、他に替えがたいものを受け取ることができる。荒川洋治（詩人）は若い時、職場で時間が空くと詩を書いていいですかと上長に断って、その上で詩を書いたそうだ。これらは資質に根ざした自分ペースに執着したため、世俗では出世しそうにない人の好きなエピソードだ。

この流れで取り上げたい作家のカフカは、早朝から勤勉かつ優秀に事務処理をこなし、だれも文句の言えない職員だったらしい。しかし一段落つくと事務所で小説を書いたという。そういうことができる風通しのある職場はいい。人件費とか労働生産性とかことさらにいうバカがいるが、人間はＡＩじゃないんだ。

工場の人や事務職だって上役の目を気にしながら、緻密な繰り返し作業に音を上げたくなることもあるだろう。もちろん、管理者の目を盗んで気の合う同士でおしゃべりしたり、お茶を入れに席をたって気を入れ替えたりして、自分なりにメンタルをやられないよう気をつけている。話が飛んでしまった。

◆

カフカの勤めた労働災害保険局は、受付に現れた人の受けた災難の程度と治療にかかる費用、仕事ができない間の給料の補償について、巨大な法的書庫の中の規定と照合して、いくらの保険金を出せるかを決める。被害者がよいといえば執行の手続きがはじまる。しかし彼が腹の底から納得して帰ることはあまりないだろう。運悪く労働災害に巻き込まれたら自動的にすぐに手当を受け、補償金が即刻出るようにするべき制度だ。実情は窓口にやって来た相手こそ主人公なのだということが、事務所と事務員の腹の底に入ってなければ、親切そうに応対する顔は何かの不備を見つけた途端に、法こそが主人で自分はその番人だという顔になる。それは誰もが知っている。

手続き自体の煩雑さとわずかな補償は釣り合わない。たまたま相手が親切で個々の事情を聞いてくれる人物だったとしても、法が主人公だという世界では、苦痛は変わらない。ここからは勝手な想像が入る。

カフカは、手続きの発端と結末は法だけが根拠づけるのであり、しかし法そのものには一般人が触れられないことに意識的だった。この意識化に時代と地域、宗教の違いが影響しているかどうかはこの際おいておく。それからつぎに、日々繰り返されるどうという価値もない中間そのものだけが、現実だという想定が加算された。そしてそのもとでの生の在り方に対する異和に固執した。カフカの資質と文学をつなげるため、そのように想像してみる。『審判』の原題 Der Prozess というドイツ語を調べると、裁判の意味の他に、訴状、手続き、経過などが横並びする。起源（たとえば訴訟）と目的（たとえば判決）の中間を含意する方向がありそうだ。キルケゴールの「反復」にも対応するかもしれない。専門家じゃないのでこれくらいでやめておく。カフカの想念は蓄積されて、起源と目的とそれを結合させる法に対する〈反世界〉の想定にたどり着いた。そのときカフカは自分の生活圏から自分を追放して、作品へと投下していったということになる。カフカの世界は、日常を法の専門職としてこなし、時間があれば小説を書くという繰り返しをつづけたカフカの、特異な世界の反転だ。

『城』という小説では、測量士Kは雇い主の住む城へとたえず向かっている。城はなぜか村全体を支配している。村人の話からそれはわかる。城の裾野には住人の暮らす村があり、Kはそのなかで住人と瑣末なやりとりをくり返している。しかし目的の城に近づいている気が少しもしない。住人たちが、唐突に現れたこのよそ者に対して一致して邪魔しているわけではない。しかし測量士は、城に到達できないのではないかと疑いはじめている。

この一点をのぞけば、村人たちとのやりとりも、恋愛らしいことも、楽しかったり楽しくなかったりの日々の小さなエピソードとしてつづけられる。もし目的を過剰に意識して一定の線を越えてしまうと、現実を失う場合もある。現実の喪失は、幼児性だけの世界を病的に出現させるだけだ。測量士Kは、その線のわずかこちら側を歩いているところで、作品は唐突に止まる。

作者カフカは抜きん出た人物であり寡黙な実務者だったとして、あえて作品とカフカの実生活を結びつけなくともよい。だれでも向こうからやってくる事物に当たって、当惑して立ちどまることはある。しかしカフカはその当惑を作品にしたのではない。カフカは自分の資質への執着がふつうには考えられないくらい徹底的だったため、向こうからやってくる運命とは別の表現的な線を作って越え出ようとした。たいていは、人が、ぼくがそうしてきたように、はじめの引っかかりはどこかに落としたか、角がとれて小石くらいになってしまう。彼はそこで何をしているか。結婚し、子を産み育て、年老いて死んでいくのだ。彼は、幼児の世界を意識的に捨てたのではない。ふりかかる偶発事にぶちあたるたびに、幼児ではない人になっていくしかないのだ。

彼は雑事に対処するだけで人生の大半を使っている。それでも内側には秘め事のように大切にしているものはある。そういう個々の人生には、カフカのような大才が、自分だけの世界をつきつめたことと変わらない重さがある、それは吉本隆明が思想の問題として問いつづけた。

吉本隆明は一九七〇年十一月、資質や初期ということについて東京女子短期大学の学園祭で講演した。タイトルは「文学における初期・夢・記憶・資質」。『敗北の構造』に所収されている（インターネットの「吉本隆明の183の講演」に音声が載っている）。

吉本さんの本は、はじめは兄の影響で知って中学の図書館で借り出したが（全著作集だけあったと思う）、刊行されたばかりの『敗北の構造』は自分で買った。そこでは、自分がなにかずれているのではないかということに、もし意識が向いたら、徹底して考えることが重要だといっていた。また資質が現実とぶつかった時の反応の仕方を考えていくことは、人類としてではなく個人として大切なことだ、その結果を他人がどう評価するかはどうでもいい、ただ、偶発事への対応で生命をすり減らす大半の人の人生と、自分の資質にこだわり抜いて考えていく人生に優劣はないということを吉本隆明はそのとき語った（言葉はだいぶ違うはず）。ここでぼくははじめて「資質」とか「初期性」ということについての透徹した思想にぶつかったことになる。自分の内向性についての過剰な意識が邪魔になりはじめた十代の頃に、まったく別の方向と次元の違う規模からの視線があることを知った。そしてたぶんぼくは助かったのだ。

吉本隆明は、偶発事への対応に追われて運命に左右されるしかない大衆の原像を一方の極として、また資質と初期性の行方に執着しつづける者を他方の極として、両極を考えるといいと話した。両極が見え両極をとらえ返せば、自分の場所とのへだたりに言葉を失うかもしれない。資質と現実のぶつかり合いの過程にあっては、大衆の原像をたえず念頭に置いて、そこからのずれを計測することが大事だということになる。

吉本の思想の中では、知識人という概念は解体されている。ただ、自分の資質を現実とぶつからせながら別を構想する可能性だけは誰にも残されている。吉本隆明は、親鸞を論じて、資質をつきつめて別の世界を構想したら、そこからの帰り道をたどって静かに生活の像に着地することが最後の夢だといった（言葉は違う）。そこまでいくと、ふつうに生活している人が、資質への固執が生み出したものの精髄を、何の気もなしに手に取っているという、平凡な画像が思い浮かんできそうで、とりあえずそれはそれでいいと思う。

吉本隆明の対談を読む

江藤淳との対話を軸に

勝畑耕一

今春に「幸福の科学」の始祖、大川隆法（一九五六〜二〇二三）が死んだ。吉本（一九二四〜二〇一二）には大川の『太陽の法』への短いが丁寧な書評があり（晶文社版全集25巻）、その宗教体系を的確に論じている。

吉本によるとすべての宗教は輪廻転生を実体化する過程で、その神（仏）観を通俗化するか高度な表現とするかはその理念に拠る、としている。新興宗教を立ち上げた多くの教団の教理は、どれも土俗的な伝承にも遡らず、ましてや遠い悠久の神話的世界にもその根拠を求めていないとしつつ大川隆法に関してはその教義を「既存の宗教を解体して造った思想運動」としてとらえている。「幸福の科学」の場合、大川自身が授かった（？）「普遍的な心的体験」を基に組み立てていて、その根拠には「死後の神霊の存在は肉体とは分離している」とする点を挙げている。時空を超えて、つまりは我々が生きている三次元の空間を超え、荒唐無稽にも死後の神霊は時間の概念をも越えて存在するという理論から、無意識の憑依体験を経た大川が、時を遡及してキリストと同時代に存在しキリストと会話することも可能だし、その逆も可能ということになる。

先行の公明党のように望むべくは布教により勢力を拡げ知名度をあげ、自らの宗教団体を母体に政界に乗り出し、国政への参加を大川は夢見たのだろう。今頃きっと氏の神霊は肉体と分離し、天上で幸福と科学の在り方について誰と語り合っているのであろうか。

吉本の守備範囲は、「マルクスから窓際のトットちゃん」までとよく言われるが、それは「親鸞から中島みゆき」までと言い換えてもいいのだろう。つまり現実を囲繞するあらゆる情報を明瞭な問題意識のもとで体系的にとらえ、どの知識もふるいにかけ、真贋の本質を計ることが何よりも氏の評論活動においては最優先なのだ。その体系的な表現活動の根幹は言葉（言語）と像（イメージ）に集約される。『共同幻想論』は『マス・イメージ論』に敷衍され、『言語にとって美とはなにか』は三回に分けて『ハイ・イメージ論』により引き継がれる。それがうまくいったかどうかはやはり本人も思うところがあったらしい。いずれにしても一貫した思想の根幹には言葉（言語）と像（イメージ）の関係があり、氏の理論化への探求心はその関係性の中で絶えず渦巻いている。

生命の活動を精神のはたらきとして包括できる緒口は、言葉の概念のなかに含まれているという考え方が、ここでの考察をすすめる原動機になった。ほんとうをいうと、わたしを悩ませたモチーフはもう一つ派生していた。言葉の概念と言葉が喚び起こす像（イメージ）とのあいだにはどんな関係があり、それがどう根拠づけられるかということだ。（晶文社版全集22巻『言葉からの触手』あとがき）

そしてこの、言葉（言語）と像（イメージ）の関係を突き詰めた上に理論的な著作が成り立ち、その思索の外堀を補う形で、講演と対談という表現形態が残されている。さらにその全体を散文として覆う形で生まれたのが詩作品かもしれない。詩作品の集大成が『記号の森の伝説歌』『言葉からの触手』であり、そこに慰藉としての言語と郷愁としてのイメージがそっと重なり合っているように思えるのは私だけだろうか。江藤は吉本の詩を一九六五年の一回目の対談で「吉本さんの資質のなかにも、非常に詩人的・達人的なものがあると思います。（中略）とにかく吉本さんのなかで詩的絶対性のようなものを求める気持ちは、とても強いと思うのです。吉本さんの詩には、これがとても美しい形で出てくる」と語っている。対談に限って言えばその江藤淳（一九三二〜一九九九）、鮎川信夫（一九二〇〜一九八六）、梅原猛（一九二五〜二〇一九）の三人にもっとも吉本の相思相論に相応しいやり取りが残されている。ただし梅原の場合には何故か中沢新一が加わっているが。次いで言えばミッシェル・フーコー（一九二六〜一九八四）との通訳を交えた対談か。吉本はフーコーを別格であった、と後に書いている。今回は江藤淳との対談に焦点を当てて吉本を論じてみたいと思う。

吉本と江藤淳の対談は五回あり、全対談は江藤の死後に『文学と非文学の倫理』（二〇一一年、中央公論新社）として刊行されている。それによると一九六五年から八八年までの対談以前にも、六〇年安保の頃すでに互いを知っており鼎談などで顔を合わせていたという。特記しておきたいのは安保闘争の翌年、一回目の対談の四年も前「新日本文学会」での報告書に江藤と吉本を同等に批判した文章が掲載された。

安保闘争後、孤立のなかに追い込まれて、あらわに自分のそれまでの文学思想を否定し、別個の道を歩もうとしている批評家が出てきたが、江藤淳、吉本隆明その他がそれである。（以下略）（「創造活動報告草案」野間宏他が起草）

もちろん二人はそれぞれ反論をしているわけだが、その事も踏まえた一回目の対談であった。この対談以降に江藤の著作集全六巻が順次刊行されるのだが、その月報に吉本が「一つの証言」を寄せている。これは六〇年安保のさなかにおける全学連支援カンパについての証言であった。松田政男（一九三三〜二〇二〇）が起草し吉本が手を入れた趣意書に対して、吉本本人はカンパを断った江藤を「わたしは江藤淳って人なかなかやるじゃないの、そういうの面白いよ、というようなことを口走って（カンパ賛同者）仲間をひんしゅくさせた」という。つまり六〇年安保前後から吉本は江藤を認知していたことになる。

わたしのうちなる文学者としての感度ではこの人は政治的には敵であるかもしれないし敵になるかもしれないが、根っこからの文学者の資質を持っていると思えた。……味方の中に（江藤のような）頼もしいと思う文学者をみつけることはできなかったし、いまもできない。（江藤淳著作集2　月報）

収監されている学生たちを救うべく、裁判費用などの援助のため起草されたカンパ趣意書を明確に拒絶した江藤であるが、対陣にいる吉本のこの言葉に、同時代の論敵でありつつも語り合える存在を意義深く感じ取ったに違いない。吉本が『言語にとって美とはなにか』を『試行』に連載し始めたのは六〇年安保の翌年から、そして単行本化は五年後になる。日時から類推するとその序文が書かれたのは一回目の対談と同年の一九六五年と思われる。その序文でなんと三浦つとむ（一九一一～一九八九）とともに江藤にふれているのだ。

そのころ、少壮の才能ある批評家江藤淳が『作家は行動する』という優れた文体論を公刊した。この著書は、すくなくともわが国の文芸批評史のうえで画期的なものであることを、批評家たちは看抜いてはいなかった。おそらく、もっともこの著書に関心をいだいて読んだのは、おなじ問題を別様に展開しようとかんがえていたわたしではないかとおもう。（勁草書房版著作集6　文学論Ⅲ『言語にとって美とはなにか』序文より）

この江藤のデビュー評論『作家は行動する』は「文体論」と「新しい文体」の二章に分かれており一章の総論に対して二章は同時代の若手作家の作品を挙げて論じている。一章は、言語と文体・文体と時間・散文の文体と詩・想像力・小説の文体の五つに、二章は新しい作家の文体として大江健三郎（一九三五～二〇二三）・石原慎太郎（一九三二～二〇二二）・三島由紀夫（一九二五～一九七〇）が俎上に乗っている。吉本が序文で、おなじ問題を別様に展開しようとかんがえていた、と言っているのは一章にまとめられた「文体論」のことだろうか。そこで江藤がまず取り上げたのは既存の文学者たち、また巷の文学観への反措定であった。

「想像力」の開放などという主観主義理論が通用しているのは、日本文学者の大部分がすくいがたい精神の怠惰にむしばまれ、論理的ないいかげんさに対して寛容であるためである。（『作家は行動する』）

ことばはものではない。一種の記号である。しかもそれは客観的に人間の外側にあるもの、外在的な実体ではない。人間の主体的な行為と不可分のものである。つまり、ことばは文字ではない。（同）

（「ことば」と「もの」に関する）イメイジはものではなく、存在でもない。（同）

われわれのことばは主体的な行為であるが、その行為はおのずから社会的現実の制約をうけている。（同）

ではその「序文」を見てみよう。吉本はヴァレリーの『文学論』から、理論はいずれもただ一人のための理論でX氏の道具である理論はX氏には真理であるが一般的には真理でないと理論自身が宣言しないのが理論の欠点なのである、とするヴァレリーの名言を引用している。

だから、ヴァレリイの言葉は、この場合、一般的に真理であるような二つの対象的な意識を、人間は同時にもつことはできないと言い直せば通用するはずである。（『言語にとって美とはなにか』序文）

ヴァレリイの名言とまるで対照的なところに、文学芸術は典型的な情勢における典型的なキャラクターを描かねばならないというリアリズム論と、文学芸術によって人民を革命的に教育しなければならないとする政策論を二本の足にした社会主義リアリズム論がある。（同）

この序文の末尾にある、「もんだいは文学は言語の芸術だという前提から、現在提出されているもんだいを再提出し、論じられている課題を具体的に語り、さてどんなおつりがあるかという点にある」という箇所は明らかに江藤の「ことばは人間の主体的な行為と不可分のものである」という出発点に通じるところがある。二人にイメージという概念が言語を取り巻く中にあり、吉本においては言葉が喚び起こす像（イメージ）として提起され、江藤も、ものでなく存在でもなく社会的制約の中で受ける意志的な当為をイメージとしてとらえている。『作家は行動する』の行動とはまさにこの当為なのではないのか？　この一回目の対談での江藤の吉本評は的確である。

かつて共産党が無謬であるという神話があったわけですね。ところが吉本さんなどが、共産党を微細に分析したり、批判されたりしたおかげで共産党の無謬性などというものは嘘だということがよくわかった。だが、今度は、吉本さん自身が無謬に馴らされているという危険が生じているのではないか。吉本さん自身のなかにそんな発想があるとは思わないが、あなたの影響力が大きいものだから、吉本神話のごときものができつつあると思う。

この対談では大江健三郎『ヒロシマノート』に対する批判も取り上げられている。「どうしてああ他人のための言いかたをするのかよくわからない。見ていて、気の毒なような気がする。（中略）ほとんどこれは、意識にはのぼらないくらい根強い自己欺瞞だという気がする。（中略）（広島の悲惨さに）作者が同情し得ると考えているのが、大変傲慢なような感じがする」という発言が吉本ではなく、江藤の発言であることに注目しておこう。

この対談で有名になった一文がある。「だから結論だけをとってくると、江藤さんと一致してしまうけれども、またそれも一まわりぐらい違うような気がするのですね」。これは吉本の江藤の論調に対する本音だと思われる。二三年後の対談でもこの吉本のセリフを江藤は覚えていて再び取り上げている。

二回目の対談は一九七〇年、安保、大阪万博、三島が自決する年である。すでに『共同幻想論』は出版されて六八年に吉本の勁草書房版著作集全一五巻は刊行が始まっていた。この年には吉本撮影による四六枚の写真付き『1970 東京の民家』も出版されている。その著作集にこんどは江藤が帯文を寄せている、私の学生時代だったか、その後に買ったのか、保守の江藤が何で吉本の全集に帯文を書くの？ と驚いた記憶がある。つまりこの時にはもう二人の文学・思想上の深い絆は確固たるものになっていたと思わせる文だ。

（前略）私は吉本さんとすきやきの鍋をつつくようにして、吉本さんの詩と思想を味わう。これは珍味である。なぜなら吉本さんはその人柄において、その思想において男の中の男だからである。気は優しくて力持ちであり、「壮士ひとたび去って復た還らず」という慷慨を胸に秘めた、市井の士だからである。（「吉本さんの人柄と思想」）

帯とはいえ何という持ち上げ方だろうか。この言葉は江藤の周囲に吉本程には分かり合える文学仲間がそうはいなかったことを物語ってはいないだろうか。この対談は江藤が『漱石とその時代』第一部・第二部を刊行する直前に行われた。だから当然冒頭に嫂との関りも含め漱石の生き方に関する思いが取り上げられる。更には吉本の失業時代にスマートボールの景品で食ってた時がある、という発言があり、食うために己を低くして屈辱感に耐えることができなかったと語る吉本に、江藤は切実に生きていく感覚を読み取る。次の江藤の発言は吉本の「大衆の原像」

を思い起こさせる。

インテリというのは要するに思想のアマチュアで、ほんとうの思想というのは、普通の生活人が生きている思想ですね。(中略)ほんとうは思想というのはみんな黙ってもっているものでしょう。それがなければどうやって生きられるのか。我々は動物じゃないから自分の中にある沈黙の言語を頼りに生きていくのですね。（江藤）

この「沈黙の言語を頼りに生きていく」という普通の生活人、とは吉本の「大衆の原像」に重なるのではないだろうか？

しかしこの対談の核心部分では立ち位置が全く正反対となり、逆転している。吉本は天皇制の世継ぎで行われる大嘗祭や、新嘗祭など季節毎に行われる秘儀はそのタブーを全部暴くべきだ、出自や儀式、遺跡なども公開し調査をさせろ、と主張する。禁忌を解き放ち制度としての宗教的な権威付け、その実態をはっきりさせればそれで全ては終わる、というのだ。一方の江藤はなにか制度としての禁忌（秘儀）を設けておかなければ人間の集団は存続しないのではないか、それを全部公開すると集団としてまとまりがなく生きられなくなるのではないか、と危惧する。そして守るべきものは「社稷」であるとする。社は土地の神、稷は五穀の神、いうなれば国家国民の繁栄を意図する概念が「社稷」なのか。更に対談では吉本がレーニンを、江藤が西郷隆盛を引き合いに出して転換期のリーダー論へと進んでいく。そんな江藤に対して「価値の根源から遠ざかることが暴かれたタブーの元での一つの対症療法である」と吉本はしている。この対談でも「しかし具体的なあるところに来ると、話が不思議に通じる」という発言は江藤からである。

三回目の対談も一九七〇年勝海舟について、四回目の対談は一九八二年「現代文学の倫理」として江藤の『占領史録』が取り上げられた。江藤が戦後のＧＨＱ政策を「抑圧の歴史」とする一方吉本は「農地解放も含めやっぱり解放の歴史だ、と思えるところもある」「戦後のマッカーサーの言動で、とにかくぼくらは人間という概念を、実感的にアメリカから獲得したように思います」と語る。敗戦時に二十歳だった吉本には不安感よりも開放感が優っていたというのに対し、一方の江藤にはそれが伝わらない。占領軍の検閲とそれに対して無意識のうちに自己規制してしまう抑圧感が戦後の文学・文化に大きな負の感覚を占めた、と主張する。

占領軍が日本を解放したのか抑圧したのか、そこには二人の八歳差の年代意識も関わってくるようだ。江藤がこの頃から苛立ちからくる何かラジカルさを前面にだしてくる。三島と二年後の川端の自死に対して「〝悪意〟に充ちた全部にストップをかけるような三島の死だった、時代の終焉だ……　一度文芸雑誌も全部なくなって、それからまた出直せばいいと思う」と強く主張している。一方の吉本は「もうとことんまで卑怯に、とことんまで生き延びてやる、戦後の思想はそれしかないように思うんですね」と答えている。この対談の終わりに吉本が、「僕ら戦中派の怨念みたいなものであの人（昭和天皇）より先には死にたくねえ」と思っている、と吐露すると江藤は「そうでしょうね」と答え、自分も天皇陛下がお元気な間は死にたくない、と同意している。

最後の対談は一九八八年、吉本六四歳、江藤五六歳、「文学と非文学の倫理」が語られた。

知り合ってからほぼ三〇年、一貫して文学と思想を論じてきた二人だがここで八〇年代文学として村上春樹（一九四九〜）と村上龍（一九五二〜）を登場させている。吉本はこの前の世代として大江と中上健次（一九四六〜一九九二）を挙げており、何故か高橋和巳（一九三一〜一九七一）は飛ばされてしまったのが私には不満だ。吉本は大江と中上の評価が減点になった分だけ両村上に対する評価は、僕の中では大きくなった、とする。一方で江藤は両村上がどれほど売れようとサブ・カルチャーであることを譲る気持ちはない、つまり全体のカルチャーを代表してはいない、というのだ。次に吉本は小林秀雄（一九〇二〜一九八三）を引き合いに出し、小林は偉大だと思うがああいう風には年は取りたくない、文学のもつ真理や美の前に立ちつくしたときの感動をどこまでも掘っていく。そういう風に年を重ねていきたくない、という。

自分を不安定なところにとか、変化するところに、あるいは流れ去るところにといいましょうか、そういうところに追い込んでいって、もし年齢というのを考えるなら、そこで終わりがきたら終わるという風にいけたら理想だ、僕はそういうイメージを抱くわけです。（中略）それでどっかでバタンキューならバタンキューでもいいし……（吉本）

江藤も、僕も吉本さんとほぼ同じですよ、と応じている。「それぞれの個体の負わされたライフ・サイクル、そういうものは変換不可能である」からと。

さて次に俎上に乗るのが蓮實重彦（一九三六〜）と柄谷行人（一九四一〜）の共著『闘争のエチカ』である。しかしここでは「彼らは（蓮實・柄谷）過度に不毛で知的ですよ」という江藤の一言に尽きる気がする。「柄谷君なんか見ていますと、一切合財知的な手続きのようなものにだんだんなっていくようで、批評が言語の生き死にする場所を無限に飛びすさっていくような気がするのはさみしいですね」とその評論の不毛さを嘆いている。

反核から反原発についても論じられるのだが、江藤は「従来の歴史の概念では収まらない時の動き」を察知する。それを受けて吉本は「社会的にみても日常がたいへん息苦しくなってきた」と応じる。江藤は更に文学を豊かにするのとは逆方向に言論界は向かい「原発反対はいいのだ、反核はいいのだ、というのでは話にならない」と憤る。吉本は冷静に分析する。

八〇年代の初めころかそこいらへんでシンボルが変わっちゃって、昔六〇年代ころ進歩的な市民運動だといっていたのは、だいたいいまは社会ファシズム運動だと見たほうがいちばんわかりいいことになっちゃった

なという感じがします。（吉本）

六〇年安保の総括で吉本とは結果的に一致した江藤も同意する。「安保は大勝利だったといった人たちが今の社会ファシズムのほぼ母体でしょう。私はそう思っています」と。

この対談の最後に江藤が吉本に感謝の言葉をのべる。吉本は最良のカウンターパートナーであったと。「六年ぶりでお目にかかって楽しかったな、不思議なご縁だな、ほんとうに。どうしてこういう具合になったのかな……。こうやってお目にかかってお顔を見ながら話している限りにおいて、僕は幸せだなと思う、ほんとに。……でもよかった、ほんとに楽しかった」これは江藤の本心なのだろう。胸襟を開いて語り合える最も語り合うにふさわしいのが吉本だったのであろう。

吉本ほど対談や講演を数多く引き受けたものはいないのかもしれない。一〇巻にも及ぶ全対談集も刊行されている。

対談は第三者の聞き手（読者）を勘定に入れた眼に見えない舞台のうえで向かい合ったドラマの説白の性格も同時に持っている。（中略）不明の、複数の視線を浴びているような感覚（監視）をどこかで感じている。これが設定された対談の過程を複雑に入り組ませるものだ。（吉本隆明全対談集２　あとがき）

江藤・吉本、それぞれの位置をもって対談の言葉は創りだされている。この五つの対談にはその互いの言葉を問い直し、確かめ続ける二人の言葉が交錯している。互いの思想を語り、相手の思想との差異を感知し、そこから着地点を見つけようとするか、もしくは対立点を明瞭にしようとするか、そこには豊かな知性の闘いが見て取れる。対談中に時たま出てくる（笑い）の臨場感には何か暖かな二人が同じ船に乗っていることの証左が感じられてくる。

資料　吉本隆明講演年譜（一九九一年から二〇〇九年まで）3-3　宿沢あぐり

【註】この年譜には、『吉本隆明〈未収録〉講演集』（筑摩書房刊）の付録として作成された「吉本隆明全講演リスト」以後、また『吉本隆明資料集』（猫々堂発行）に掲載された「吉本隆明年譜」の作成以後にわかった講演（演題、内容、年月日など不明なものが多いが、当時の大学等の新聞や学園祭パンフレット、書簡、問い合わせなどにより判明）もふくまれているが、講演の収録対象として初出雑誌、冊子、新聞などはすべて省略し、単行本のみ（CD、インターネット公開ふくむ）を記号「＊」のつぎに記載している。講演を収録した単行本等で略記してあるものはつぎのとおりである。なお、敬称は略させていただいた。

『情況への発言　吉本隆明講演集』（徳間書店刊→『情況講演』）／『敗北の構造　吉本隆明講演集』（弓立社刊→『敗北』新装版も）／『知の岸辺へ』（弓立社刊→『岸辺』新装版も）／『吉本隆明全著作集』全一五巻（勁草書房刊→『全著』例『全著一』漢数字は巻数）／『言葉という思想』（弓立社刊→『言葉思想』新装版も）／『〈信〉の構造・吉本隆明全仏教論集成　1944.5～1983.9』（春秋社刊→『〈信〉仏』）／『〈信〉の構造Part1――吉本隆明全仏教論集成』（一九八九年二月二五日　第八刷　春秋社刊→『〈信〉一』新装版も）／『〈信〉の構造Part2――吉本隆明全キリスト教論集成』（春秋社刊→『〈信〉二』新装版も）／『〈信〉の構造Part3――吉本隆明全天皇制・宗教論集成』（春秋社刊→『〈信〉三』新装版も）／『語りの海　吉本隆明　①幻想としての国家』（中央公論社刊→『語り①』）／『語りの海　吉本隆明　②古典とはなにか』（中央公論社刊→『語り②』）／『語りの海　吉本隆明　③新版・言葉という思想』（中央公論社刊→『語り③』）／『心とは何か　心的現象論入門』（弓立社刊→『心』）／『吉本隆明全講演ライブ集』全二〇巻（吉本隆明全講演CD化計画刊→『全講演』例『全講演一』漢数字は巻数）／『吉本隆明〈未収録〉講演集』全一二巻（→『未収録』例『未収録一』漢数字は巻数）／『全南島論』（作品社刊→『南島』）／『吉本隆明全集』（刊行中　晶文社刊→『全集』例『全集一』漢数字は巻数）／『吉本隆明全質疑応答』全五巻（講演の質疑応答のみ　論創社刊→『質応』例『質応Ⅰ』ローマ数字は巻数　これ以前に『吉本隆明質疑応答集』があるが『質応』にふくむ）／『吉本隆明　五十度の講演』（東京糸井重里事務所刊→『五十度』）／『吉本隆明の１８３講演』フリーアーカイブ（「ほぼ日刊イトイ新聞」インターネットサイト→『１８３』）

【前号で260から265までが脱落しておりました。以下のとおりです。】

一九八九年（昭和六四年・平成元年）　**六四歳—六五歳**

260　二月二二日　発言「舞踏について」（改題「舞踏論」）／主催・ボディサットヴァ（福原哲郎主宰）／「未来からの風2　トークディスカッション『肉体論』」（吉本隆明＋岡本澄子＋福原哲郎）／場所・アムス西武三軒茶屋5Fスタジオams（世田谷区三軒茶屋）　＊『未収録一二』

261　三月一〇日　「岡本かの子——華麗なる文学世界」／主催・川崎市　川崎市教育委員会　朝日新聞社／生誕一〇〇年記念「岡本かの子の世界」展における講演／場所・川崎市市民ミュージアム　＊『未収録八』　＊『183』

262　六月七日　「未来の親鸞」（改題「未来に生きる親鸞」）／主催・北区青年サミット／「機工街にて親鸞を語る—吉本隆明—」における講演／場所・北区昭和町区民センター　＊『未来』（改題「解体論——理念と思想　未来に生きる親鸞」）『全講演四』『語る親鸞』『全集二五』　＊『183』

263　七月九日　「日本農業論」／主催・修羅出版部／「吉本隆明・農業論パート2」における講演／場所・長岡短期大学（新潟県）　＊『全講演五』　＊『183』　＊『質応Ⅳ』

264　一〇月五日　「高次産業時代の構図」／主催・石川文化事業財団　主婦の友社／第二回ヴォーリズフォーラム「1990年代のパラダイム——成熟社会のターニングポイント」における講演／場所・お茶の水スクエア・ヴォーリズホール（千代田区神田駿河台）　＊『全講演一二』『未収録四』　＊『五十度』『183』

265　一〇月一一日　「無頼派作家・坂口安吾を語る」（内容不明）／主催・桐生市立図書館・桐生読書会連絡協議会／文芸講演会における講演／場所・同市文化センター市民ホール（群馬県桐生市織姫町）

講演の音源などは見つかっていないが、平成二年五月一〇日付『読連協だより』（桐生市読書会連絡協議会発行）第二四号に、「吉本隆明氏　坂口安吾を語る」という表題で、つぎのような講演要旨が掲載されている。

赤頭巾を被った可愛い少女が、森のお婆さんを訪ねていき、お婆さんに化けていた狼にむしゃむしゃ食べられてしまうという、ペローの童話を引用し、そこで突き放されちょん切られた空しい余白に、静かなしかも透明な、一つのふるさとをみることができる。その余白の中に繰り広げられているのは、可憐な少女が狼に食べられているという、残酷な光景であるが、それは決して不透明なものでなく、氷を抱きしめているような、切ない悲しさ美しさを持っている。

赤頭巾の童話から伝わってくる、宝石のような冷たさは、人の生存にまつわる絶対の孤独である。

うつせみは、道に迷っても、救いを予期して歩くことができる。しかしこの生存にまつわる孤独は、いつも広野を迷うだけで、救いを予期することはできない。そして最後に酷たらしく、救いのないこと自体が唯一の救いであると意識する。ここに安吾は文学のふるさとを見出だしている。初期には、人の葛藤とか、情念とかが、自然描写と混然一体となった、奇妙な省略のある作品が多く、晩年に近づくにつれ、超現実主義手法の中に、説話を取り入れた作品に変ってきている。無頼派の石川淳・太宰治・織田作之助も、説話をモチーフとした作品を書いている。

＊著書未収録

一九九一年（平成三年）　六六歳―六七歳

286　二月一七日　「家族の問題とはどういうことか」（講演仮題「ゆれ動く家族のゆくえ――家族幻想からの脱出――」）／主催・東京メンタルヘルスアカデミー／公開講座「家族・親子を考える集い　団塊の世代と共に」における講演／場所・交通安全教育センター（港区西麻布）　＊『人生とは何か』（弓立社刊　→『人生』）＊『183』＊『質応V』

287　三月八日　「福祉の問題」／主催・「知的障碍」などに関わる小形烈たち／場所・神奈川県横浜市の某所（不明）　＊『質応V』

288　七月二七日　発言シンポジウム「映像都市の生と死」（発言者・吉本隆明　芹沢俊介　福原哲郎）／主催・ボディサットヴァ文化研究所／「日本の身体芸術の現在　未来からの風3　―新しい芸術文化と沸騰する社会のために―」におけるシンポジウム発言（特別ゲスト）／七月二四日〜二八日の全五日の四日目第二部／場所・フィジーク2B（渋谷区東）　＊『未収録五』

289　七月三〇日　「夏目漱石　―「こゝろ」「道草」「明暗」―」（改題「資質をめぐる漱石」）／主催・日本近代文学館／夏の文学教室「大正から昭和へ・作家と作品」における講演／場所・よみうりホール（千代田区有楽町　そごう七階）　＊『夏目漱石を読む』（筑摩書房刊　→『夏目』）『夏目漱石を読む』（ちくま文庫　→『夏目』文庫）『全講演二』　＊『五十度』『183』

290　一〇月二〇日　「現代を読む」／主催・煥乎堂（群馬県前橋市）／煥乎堂文藝講座における講演／場所・同社音楽センター三Fホール　＊『大情況論―世界はどこにいくのか』（弓立社刊　→『大情況』）＊『183』＊『質応V』

291　一一月一〇日　「農業からみた現在」／主催・修羅出版部（太田修代表）／農業をめぐる連続講演の第三回目における講演／テーマ「農業論パートⅢ　―こんどソ連で起こったこと―」／場所・中越高等学校一階会議室（新潟県長岡市）　＊『未収録三』＊『五十度』『183』＊『質応V』

292　一一月一六日　「現代社会と青年」／主催・千葉県立佐倉高等学校PTA／文化講演会における講演／場所・同学校体育館（佐倉市鍋山町）／講演は係の高島和雄教諭の尽力によるもので、講演後は有志による懇親会に参加。　＊『未収録六』＊『183』＊『質応V』

一九九二年（平成四年）　六七歳―六八歳

293　一月二一日　「像としての都市」／主催・NKK都市総合研究所／「アーバンコンファレンス21」における講演／場所・NKK本社ビル（千代田区大手町）＊『全講演一二』『吉本隆明の経済学』（筑摩書房刊　↓『経済学』）　＊『五十度』『183』　＊『質応V』

294　二月八日　「言葉以前の精神について」（改題「言葉以前の心について」）／主催・「精神医療を考える会」（宮崎県宮崎市の一ツ瀬病 院内）／第一六回精神医療公開講座における講演／場所・宮崎科学技術館多目的ホール（宮崎市）　＊『心』『全講演一八』　＊『五十度』『183』　＊『質応V』

295　四月一六日　「芥川における反復概念」／主催・県立神奈川近代文学館／「生誕一〇〇年　芥川龍之介展」（四月四日～五月一〇日）における記念講演会での講演／場所・神奈川県立音楽堂（横浜市西区）／吉本以外に、中村真一郎講演「国際的作家としての芥川」　＊『愛する作家たち』（コスモの本刊　↓『愛作家』）　＊『183』

296　五月二八日　「都市美の伝統と現在」／対談「越境する象形」（対談者・栗本慎一郎　質疑応答含む）／主催・ノスタルジック・ジャパン・フォーラム／「ノスタルジック・ジャパン・フォーラム」は、中京区の和風インテリア販売会社「ノスタルジック・ジャパン」が栗本慎一郎を代表に迎えて、前年からおこなっているイベント。／場所・アバンティホール（京都市のアバンティ9F）／今回のフォーラムには、宍戸恭一の協力があった。　＊『未収録五』　＊著書未収録（「対談」）

297　六月三日　「バブルのあとに」／主催・獨協大学経済学部／「経済学部総合講座」における講演／場所・同大学四棟四〇七教室（埼玉県 草加市）　＊『地獄と人間』（ボーダーインク刊　↓『地獄』）

298　六月一三日　「高村光太郎論　近代的自我の運命」（内容不明）／主催・東京都板橋区教育委員会・淑徳短期大学／板橋区大学公開講座・大乗淑徳学園一〇〇周年記念公開講座／春期淑徳公開講座「明けゆく日本の文化　PART・Ⅲ　日本文学講座　昭和文学の群像」における講演／場所・淑徳短期大学一〇号館講堂（板橋区前野町）　＊著書未収録

299　七月一〇日　「鈴木大拙の『日本的霊性』について」（改題「大拙の親鸞」）／主催・大谷大学宗教学会／第一一回「大拙忌」記念講演会における講演／場所・同大学（京都市北区）　＊『親鸞復興』（春秋社刊　↓『復興』）

300　七月二九日　「宮沢賢治　―「春と修羅」（一～三集）「グスコーブドリの伝記」「銀河鉄道の夜」―」／主催・日本近代文学館／「夏の文学教室　昭和の文学・作家と作品」における講演／場所・よみうりホール（千代田区有楽町　そごう七階）　＊『愛作家』（改題「『春と修羅』第一集／『春と修羅』第二集・第三集／『グスコーブドリの伝記』『銀河鉄道の夜』」）『全講演八』（改題「宮沢賢治――『春と修羅』『グスコーブドリの伝記』『銀河鉄道の夜』について」）『宮沢賢治の世界』（筑摩書房刊　↓『賢治世界』　改題「宮沢賢治　詩と童話」）

＊『五十度』『183』（改題「宮沢賢治」）

301　九月一九日　「総論・柳田民俗学」／主催・播磨学研究所（姫路獨協大学播磨学研究所）／播磨学特別講座「柳田國男没30年をしのんで・30年の光彩」五講のうち第四講における講演／場所・姫路キャスパホール（兵庫県姫路市）＊『未収録一』

302　一〇月五日　「現代文学のゆくえ」／主催・Bunkamura／第二回「ドゥマゴ文学賞」授賞記念文芸講演会「現代文学のゆくえ」における講演／場所・Bunkamura シアターコクーン（渋谷区道玄坂）＊『未収録一二』＊『183』

303　一〇月七日　講義「詩人・評論家・作家のための言語論 1」（改題「内的コミュニケーションをめぐって」）／主催・クリエイティヴ・ライティング・スクール（創作学校・メタローグ）／創作科特別講義における講義／場所・フォーラム8（渋谷区道玄坂二―一〇―七新大宗ビル一号館）＊『詩人・評論家・作家のための言語論』（メタローグ刊 ↓『言語論』）＊CD『内的コミュニケーションをめぐって』（メタローグ刊）

304　一〇月一一日　「夏目漱石――「坊っちゃん」「虞美人草」「三四郎」」／主催・紀伊國屋書店／第五九回紀伊國屋セミナーにおける講演／場所・紀伊國屋ホール（新宿区新宿）＊『全講演三』（改題「青春としての漱石」）『漱石』『漱石』文庫（以上改題「青春物語の漱石」）＊『五十度』『183』（改題「青春としての漱石――「坊っちゃん」「虞美人草」「三四郎」」）

305　一〇月三一日　「わが月島」／主催・東京都中央区立月島図書館／「月島誕生一〇〇年記念講演」における講演／場所・同図書館（中央区月島）＊『吉本隆明全講演ライブ集ビデオ版　第2巻（通巻9巻）わが月島』『未収録五』＊『183』

306　一一月三日　「'92文芸のイメージ」／主催・梅光女学院大学／秋桜（コスモス）祭における講演／場所・同大学マッケンジーホール（山口県下関市）＊『未収録一二』＊『183』（改題「文芸のイメージ」）＊『質応V』

307　一一月八日　「鷗外と東京」／主催・東京都文京区立鷗外記念本郷図書館／「区制四五周年記念・森鷗外生誕一三〇周年記念森鷗外展記念文学講演会」における講演／場所・東京大学安田講堂（文京区本郷）／吉本以外に、江藤淳の講演「鷗外と明治」＊『全講演一〇』『未収録八』＊『183』

308　一一月一三日　「『遠野物語』と『蒲団』の接点　―柳田國男と田山花袋の文学―」／主催・群馬県館林市教育委員会／田山花袋記念館 開館5周年記念講座の第三回における講演／場所・館林市三の丸芸術ホール（群馬県館林市）＊『未収録八』

309　一一月二一日　「死を考える」（改題「〈死〉の専門家の親鸞」）／主催・同朋学会・死そして生を考える研究会（ビハーラ研究会　代表・田代俊孝）／同研究例会における講演／場所・同朋大学成徳館ホール（名古屋市中村区）＊『復興』

310　一一月二四日　「現代社会を読む」（内容不明）／主催・群馬県立桐生高等学校／場所・同高等学校（群馬県桐生市）

＊著書未収録

311　一一月二四日　「新・書物の解体学」／主催・煥乎堂（前橋市の書店）／特別企画〈煥乎堂文藝講座〉における講演／場所・前橋テルサ　八階けやきの間（群馬県前橋市千代田町）

＊『未収録一二』＊『183』＊『質応V』

312　一一月二六日　「現代日本文化論」（内容不明）／主催・朝日カルチャーセンター横浜教室／公開講座「ジャーナリスト、評論家、作家が語る「現代日本文化論」」における講演／場所・朝日カルチャーセンター横浜教室（横浜市西区　横浜駅ルミネ内）講演準備メモ九二枚ほどあり。おおまかな内容は、つぎのとおり。

（一）「現代日本文化論というのがじぶんに与えられたテーマですが、まず現代日本というのを現在（いま）の日本という意味にとりまして、そのおおよその輪郭をつかむために、いくつかの柱となるデータを申し上げましょう。」という冒頭から、資料として、(1)「暮らしにくい国、暮らしやすい国」（アメリカの民間研究機関「人口危機委員会」の調査結果　『東京新聞』一九九二年五月二一日）(2)世界の所得分配率　(3)中流意識（『読売新聞』一九九二年九月七日）(4)心の健康度（国立精神神経センター　『読売新聞』一九九二年五月一七日）(5)農業保護率（『東京新聞』一九九二年五月一〇日）中高年サラリーマン調査　消費者負担、財政負担、消費者へのしわ寄せ　(6)登校拒否率（「増加する登校拒否」『読売新聞』一九九二年八月一一日）

（二）社会を読む方法

在庫指数が増、鉱業生産指数の減（景気変動がもっともよくあらわれる）、景気動向の指数は50％を割りＧＮＰは低速、企業の業況判断指数悪い、個人消費ゼロ成長横ばい、民間企業設備投資減、経常利益増は建設と電力だけ

（三）日本の現代文化の特長をボーダーラインの異常

①ボーダーライン・スケール

境界型人格障害（『精神科治療学』第四巻第七号　一九八九年七月）

そのあとに新井素子『おしまいの日』のおおまかなあらすじ、江國香織『つめたいよるに』あり

②異常とはなにか

荻野アンナ「背負い水」（「わたし」と「カンノ」の性交場）

新井満「尋ね人の時間」（神島と妻の性交場）

どこへいってもなおしてくれない。不感症と不能

こういう物と感覚との境界がぼやけてしまい正常と異常、生と死の境界がはっきりしなくなったという感受性はどこで現代とつながるのか。

第三次産業。

病気　イメージのなかで物語をつくり、自分が主人公になり、切実なことをしたい。

（以下省略―宿沢注）

＊著書未収録

313　講演　年月日、演題、内容不明／主催・瀬谷高等学校（横浜市瀬谷区東野台）
講演準備メモ九枚ほどあり
「わたしが強調したいし、文学ともかかわりがあるかもしれないことは二つです。」として、
1　世界負担の重し（沈滞、強迫、ヒステリー）
2　選択消費の雰囲気
ほかに、昭和六〇年の瀬谷区の行政人口や商業人口などのデータ・メモ
新井満の「尋ね人の時間」から必要な箇所を複写して原稿用紙に貼付した資料
＊著書未収録

314　一二月一九日　「甦えるヴェイユ」一日目／主催・デゼスポワァル（稲葉延子・伊藤洋・高嶋進）／クロード・ダルヴィ台本・演出による「シモーヌ・ヴェイユ　1909－1943」の日本公演における講演／場所・渋谷ジァン・ジァン（渋谷区宇田川町）　＊『未収録二』　＊『183』

315　一二月二〇日　「甦えるヴェイユ」二日目／主催・デゼスポワァル（稲葉延子・伊藤洋・高嶋進）／クロード・ダルヴィ台本・演出による「シモーヌ・ヴェイユ　1909－1943」の日本公演における講演／場所・渋谷ジァン・ジァン（渋谷区宇田川町）　＊『未収録二』　＊『183』　＊『質応V』

一九九三年（平成五年）　六八歳―六九歳

316　一月二三日　「シモーヌ・ヴェイユの現在」（改題「シモーヌ・ヴェイユの神――深淵で距てられた匿名の領域」）／主催・森集会（笠原芳光主宰）／場所・芦屋市民センター（兵庫県芦屋市）　＊『ほんとうの考え・うその考え　賢治・ヴェイユ・ヨブをめぐって』（春秋社刊　↓『ほんとう』）　＊『183』　＊『質応V』

317　二月七日　「夏目漱石　―「門」「彼岸過迄」「行人」―」（改題「不安な漱石」）／主催・紀伊國屋書店／第六〇回紀伊國屋セミナーにおける講演／場所・紀伊國屋ホール（新宿区新宿）　＊『全講演三』『夏目』『夏目』文庫　＊『五十度』『183』

318　三月一三日　「社会現象としての宗教」（改題「社会現象になった宗教」）／主催・川崎市立麻生図書館・麻生選挙管理委員会／麻生図書館読書講演会における講演／場所・川崎市麻生文化センター大会議室（川崎市麻生区）　＊『未収録六』　＊『183』　＊『質応V』

319　四月一〇日　「吉本隆明、寺山修司を語る」（改題「物語性の中のメタファー――短歌からみる寺山修司の思想」）／主催・風馬の会（小川太郎主宰）／「寺山修司を語る会」における講演／場所・早稲田奉仕園レセプションホール（新宿区西早稲田）　＊『未収録九』（改題「物語性の中のメタファー」）　＊『183』（改題「寺山修司を語る――物語性のなかのメタファー」）　＊『質応V』

320　四月一一日　「日本の現在（いま）　世界の明日（あす）

現代情況論―」テーマ（内容不明）／主催・新聞資料室（滋賀県大津市・全国新聞販売労組顧問・沢田治）／「新聞資料室」開設記念ライブ・トークにおける講演／場所・ロイヤルオークホテル（滋賀県大津市萱野浦）／この講演には、宍戸恭一の協力支援があった。当日、講演会の主旨を宍戸が説明。講演後フリートーキング　＊著書未収録

321　五月三日　「現代に生きる親鸞」（改題「現在の親鸞」）／主催・藤谷山瀧上寺／同寺継職法要における講演／場所・同寺（奈良県吉野郡下市町）　＊『復興』『吉本隆明が語る親鸞』（東京糸井重里事務所刊）　＊『五十度』『１８３』

322　五月一四日　「茂吉について」（改題「茂吉の短歌を読む」）／主催・財団法人齋藤茂吉記念館／第十九回齋藤茂吉追慕全国大会における記念講演／場所・上山市市民会館（山形県上山市）　＊『余裕のない日本を考える』（コスモの本刊改題「斎藤茂吉の歌の調べ」）『未収録八』（改題「私の茂吉観」）『全集二七』（改題「斎藤茂吉の歌の調べ」）　＊『１８３』（改題「斎藤茂吉の歌の調べ」）

323　六月五日　「中上健次私論」／主催・昭和文学会／昭和文学会春季大会「中上健次の文学」における講演／場所・國學院大学常磐松二号館二階中講堂（渋谷区東）　＊『未収録九』　＊『１８３』

324　六月一七日　「なぜ新宗教か」（改題「「新新宗教」は明日を生き延びられるか」）／主催・京都精華大学／同大学のアセンブリーアワー講演会における講演／場所・同大学（京都市左京区）　＊『復興』　＊『１８３』（改題「新新宗教は明日を生き延びられるか」）　＊『質応Ｖ』

325　七月二八日　「太宰治　―「お伽草紙」「斜陽」「人間失格」―」（改題「あかるい太宰、くらい太宰」）／主催・日本近代文学館／夏の文学教室「昭和の文学〈戦後〉・作家と作品」における講演／場所・よみうりホール（千代田区有楽町　そごう七階）講演時、日本近代文学館に依頼された色紙につぎのように書く。年月は人間の救いである　忘却は人間の救いである――太宰治より――壹阡九佰九拾参年七月貳拾八日吉本隆明　＊『愛作家』　＊『五十度』『１８３』（改題「太宰治」）

326　九月一八日　「ハイ・イメージ論１９９Ｘ」（改題「ハイ・イメージ論と世界認識」）／主催・書砦・梁山泊　運営協力・吉本隆明研究会　／「吉本隆明徹底トーク　ハイ・イメージ論１９９Ｘ　ＬＩＶＥ　ｉｎ　ＯＳＡＫＡ」における講演／場所・協栄生命ホール（大阪府豊中市　千里中央駅近く）　＊『全講演一七』『未収録五』　＊『質応Ｖ』

327　九月二八日　「私の京都観」／主催・京都新聞社／平安建都一二〇〇年記念事業〈京都ＢＥＷＥＬＬフォーラム〉第二回における基調講演／場所・京都ブライトンホテル（京都市上京区）／ディスカッションあり　＊『未収録五』　＊『質応Ｖ』　＊著書未収録（「ディスカッション」）

328　一〇月三日　「私と生涯学習」／主催・東京都文京区教育委員会／生涯学習推進記念講演会における講演／場所・文京区女性センター（文京区本郷四―八―三）　＊『人生』

＊『１８３』

329　一〇月一三日　講義「詩人・評論家・作家のための言語論２」／主催・クリエイティヴ・ライティング・スクール（創作学校・メタローグ）／創作科特別講義における講義／場所・フォーラム８（渋谷区道玄坂二―一〇―七新大宗ビル一号館）
＊『言語論』

330　一〇月一六日　「日本的なものとはなにか」／主催・国際日本文化センター／第七回国際研究集会「日本文化と宗教――宗教と世俗化」における講演／場所・京都東急ホテル（京都市下京区）　＊『未収録二』

331　一一月二日　「親鸞のめがねを通して見た蓮如」（改題「蓮如の親鸞」）／シンポジウム「蓮如――その限界と可能性」（大村英昭　梯　實圓　川村邦光　中村生雄　源了圓　山折哲雄　吉本隆明　米村竜治）／主催・浄土真宗教学研究所／シンポジウム「蓮如上人の再発見」における　講演、シンポジウム／場所・本願寺会館大ホール（京都市下京区）　＊『復興』（「蓮如の親鸞（抄）」）　＊著書未収録（「シンポジウム」）　『吉本隆明資料集二七』（猫々堂発行　↓『資料集』）

332　一一月一三日　「三木成夫さんについて」（改題「三木成夫の方法と前古代言語論」）／主催・ゲーテ自然科学の集い／「ゲーテ自然科学の集い」総会における講演（その後、討論あり）／場所・慶応義塾大学（港区三田）　＊『新・死の位相学』（春秋社刊）『経済学』（省略が　あったり、討論における発言を組み込んでいる）『全集二七』　＊『質応Ｖ』

333　一一月二六日　「社会党あるいは社会党的なるものの行方」／主催・日本社会党／第一回社会党サラリーマンのための政治講座「吉本隆明講演会」における講演／場所・社会文化会館五階ホール（千代田区永田町一―八―一）　＊『全講演九』　＊『１８３』

334　一二月二〇日　「現代を読む　ＰＡＲＴ２」／主催・煥乎堂／煥乎堂新築オープン記念イベントの文藝講座における講演／場所・煥乎堂　五階ホール（前橋市本町）　＊『未収録四』　＊『１８３』

一九九四年（平成六年）　六九歳―七〇歳

335　二月八日　「労働組合について」／主催・リブロ労働組合／場所・ホテルラングウッド（荒川区日暮里五―五〇―五）
＊『地獄』

336　三月六日　「国家について」（内容不明）／主催・リブロ池袋店／「吉本隆明と時代を読む」第一回における講演／場所・池袋西武　ＳＭＡ館八階　コミュニティカレッジ（豊島区南池袋）講演準備メモあり七五枚ほど。（一）国家論の類型　スピノザ『国家論』、ヘーゲル『政治論文集　上』（総論　国家の概念）、ラスキ『近代国家における自由』、レーニン『国家と革命』（マルクス、エンゲルス）、トマス・モア『ユートピア』、ルソー『社会契約論』、『人間不平等起源論』、オッペンハイマー『国家論』など（二）国家の現在　一九八五年における世界主要国の産業割合など　＊著書未収録

337　三月二九日　「近代国家の枠を超える力――米問題と核査察から考える」／主催・日本有権者連盟／「日本有権者連盟」の勉強会における講演／場所・上智大学　上智会館（千代田区紀尾井町）　＊『未収録四』

338　六月四日　「自然と倫理の中の透谷」（改題「倫理と自然の中での透谷」）／主催・北村透谷研究会／「透谷没後百年記念全国大会」における講演／場所・上智大学図書館九階L911（千代田区紀尾井町）　＊『未収録八』　＊『183』（「倫理と自然のなかの透谷」）

339　六月一二日　「物語について」／主催・リブロ池袋店／「吉本隆明と時代を読む」第二回／場所・池袋西武　SMA館八階　コミュニティ カレッジ（豊島区南池袋）　＊『未収録二』　＊『183』

340　七月二八日　「芥川龍之介　――「地獄変」「玄鶴山房」「或阿呆の一生」――」／主催・日本近代文学館／「夏の文学教室　日本文学 の一〇〇年」における講演／場所・よみうりホール（千代田区有楽町　そごう七階）この講演時に、日本近代文学館より依頼された色紙に、つぎのように書く。木がらしや　目刺にのこる　海のいろ　（芥川龍之介）一九九四年七月二十八日　吉本隆明　＊『愛作家』　＊『183』（改題「芥川龍之介」）

341　八月二七日　講演題名、内容、場所不明／主催・現代を考える会

講演準備メモ二五枚ほどあり

（一）産業別就業者割合（二）労働組合数の推移（三）国民経済における農業の地位　農業総生産の割合（四）第3次産業の就業者数（五）生活における家計・消費（六）円高の効果

現在論要素

（一）食管体制（二）不況（三）政治　村山連立内閣

現在の革命の三課題

①経済不況からの離脱　②軍事力問題　核問題　③農業問題　＊著書未収録

342　九月一一日　「心について」／主催・リブロ池袋店／西武池袋コミュニティカレッジでの〈吉本隆明と時代を読む〉第三回における講演／場所・西武池袋SMA館コミュニティカレッジ（豊島区南池袋）　＊『未収録二』　＊『183』

343　一〇月一三日　「今、柳田國男を語る」（内容不明）／主催・世田谷区　世田谷区教育委員会／第八回柳田國男ゆかりサミット「柳田國男と世田谷」における記念講演／場所・砧区民会館ホール（成城六―一一―一）講演準備メモとして一七〇枚ほどが残されている。

このメモによれば、いつもと同じように準備としては周到に用意され、まず講演の導きの糸としての言葉をかんがえている。

それは、「まだ覚えておられるでしょうが、平成のコメ騒動がありました。そのとき農はどういう姿がいいのかかんがえた。柳田農政学についてどうなっているか見たくなった。今回は

その話が一つ　もうひとつ」というように。

このメモ書きによれば、柳田国男について、まず柳田農政学の特徴にふれて、たとえば、つぎのように列記。

・篤農から農政への二代目

・賃労働者より自営労働者が　＊赤字で特1として◯

・自営労働者が多数経済的に苦とうしている　職工賃金の半分のを社会改良家はみない。

・産業組合員は相当の資産家にかぎり、小作は信用の根拠がないので共同事業の便益にあづからない。これでは組合の眼目にならない。　＊赤◯

地方の公使、資産家有力者、学校教頭、医師、僧侶がケイモウしてもらいたい

・日本は小農、小商工の数が多い　五百万戸以上その半分は一町歩以下の地面

・産業組合の目的

信用組合・販売組合・購買組合・生産組合

つぎに、農の定義として、

・他の生産とちがうのは人力で天然の増殖を図る。

・日本の農業者は全国戸数の60％内外を占めている。

・小農がおおく、一戸二町歩以上の田畑を耕作しうるのは北海道と台湾のほかない。

・農が職業でなく、収穫したものを、じぶんで喰べる時代があった。　＊特2赤◯

つぎに、「産業組合通解」の列記

・労役者は信用によって資本の融通をはかれない。

文化の開発はいいがこれらの救済の法をかんがえないのはうそだ。

「産業組合」の制度もその一つの対策だ。

(以下略―宿沢注)

つぎに、柳田の理念として、

・世の中に貧者と富者とあるのは、その始め人々の心柄による。

＊特3赤◯

・まれには勤勉善良なものが貧困することがあっても他人のせいではない、各人の運不運に帰する。

一方に、金があって安楽し、他方には飢凍をまぬかれないものがあっても是非なしと「いえば言はる、なり。」

・だが国家があって、天子が民を治めるからは、できるだけ多数の人に十分な幸福をうけさせ、困窮に陥るものが一人でも少くするのを理想とすべきだ。

・不動産はもたなくても、正直でよく働く小作人、小工業者に低金利長期の借金をゆるす（信用組合）

・産業組合では元手がなければ貸借ない。

（以下略—宿沢注）

つぎに、「農政学」として

・国家の経済政策は農工商の争いのうえに超然するべきだ。

つぎにまた、柳田農政学の特徴として

・農が職業でない時代がある。自家消費をいつも過剰にして蓄えるうちに、その余剰を他の物品（道具・日用品）と交換することから、農が職業となった。この原農思想に職業（産業）として工に対立するには不利な清貧思想　＊特4赤〇

・産業組合をすすめる。（二代目農政学）　＊特5赤〇

・日本の農事情の特色をよく知っている。　＊特5赤〇

・三倉　義倉　社倉　常平倉の言及。　＊特5赤〇

つぎに、農業政策学として、たとえばいくつかあるなかで

・国が進むほど農業人口の割合は減少する

・農は土着のもと、国家のもと、そして土地を完全周密に利用するのは農である。土地と人を連結させる

つぎに、常民として、たとえばいくつかあるなかで、国家の起源として

・植物の馴化は一年だが次第に周囲の景色（山川風土）になじむうち、永住するに至った。

これは国家のはじめである。　＊特6赤〇

そして、またあらためて「柳田農政学の特徴　新」として

＊1　賃労働者より自営労働者

2　農が職業でなく、収穫し、自ら食べる時代があった。

土地と人との関係の最上　不滅、不生、不動

3　世の中に貧富の差があるのは人々の心柄　運・不運国家はそれを正す。

4　国家は農工商の対立のうえに超然たるべきだ

＊5　国家の起源（サムライが山田をひらいた）

農の過剰生産から道具・日用品の工業ができ商業ができ、農は職業になった。

定着・定住が国家の起源だ。

6　三倉、救荒　義倉　社倉　常平倉

7　公有という漠然と含まれていた所有の概念が「私有」と「公有」に分れ、「私有」のなかに「国家」や「官」の所有を含めた。

＊　国家の分離という国家観が成立った。

これらはすべて原稿用紙に手書きされたものであり、そのほかに、『後狩詞記』『産業組合通解』『農政学』『農業政策学』『所謂特殊部落ノ種類』『マタギと云ふ部落』『海神宮考』から必要な箇所を複写して原稿用紙に貼付したもの、『海南小記』『海上の道』から必要な箇所を原稿用紙に手書きしたものがある。なお、この講演の内容をイメージできることが、『定本　柳田国男論』の「改装版に寄せて」のなかに書かれている。

「平成のコメ騒動が起こったとき、わたしは改めて柳田国男の初期の農政学的な見識について思いをめぐらし、農業とはなにか、それがどんな姿になるのが理想的なのか考え込んで、柳田国男の論策を検討したことがあった。たとえばマルクスの農業論のイメージは国家管理の下に大規模経営の公的な企業体を造って、農産物を安価に市場に提供し、アメリカ新大陸の大規模で安価な農業生産物の欧州市場への流入に拮抗させるというイメージにつきる。柳田国男のモデルは日本農業の歴史的な形態をもとに作られている。地主農も自作農も小作農もほんとはさして変わりばえのない小さな規模の田畑が、点々と、独立した形態で存在し、耕作が行なわれているというのが農業のイメージだった。小規模の独立した自営農を営んでいる姿のほか、日本では農のイメージが作れないことを、歴史的に洞察していた。この洞察はどんな農政学者よりも明晰で的確だとおもえた。柳田国男の農業組合の設立による農民救済策の構想はこのイメージから発しているといってよい。ロシアで展開されたマルクス主義の農業論は現在ではほとんど意味をなしていない。だが柳田国男の農業のイメージは、いまでも可能性があるというのがその折のわたしの結論だった。農業は後ろ向きに深層を拓きながら先へ展開して行くのが妥当だというのがわたしの抱いたイメージだった。」

＊著書未収録

344　一〇月二一日　講義「詩人・評論家・作家のための言語論」／第三回「言語論からみた作品の世界」／主催・メタローグ／クリエイティヴ・ライティングスクール創作科特別講義／場所・フォーラム８（渋谷区道玄坂二―一〇―七　新大宗ビル１号館）　＊『言語論』

345　一一月五日　「透谷と近代」／主催・小田原市立かもめ図書館／北村透谷没後一〇〇年記念事業記念講演会における講演／場所・同図書館視聴覚ホール（神奈川県小田原市南鴨宮一―五―三〇）　＊『未収録八』

346　一一月六日　「芥川龍之介　芥川における下町」／主催・田端文士村記念館／場所・同記念館多目的ホール（北区田端）　＊『未収録 八』　＊『吉本隆明〈未収録〉講演集』全巻予約特典ＣＤ２枚組み（筑摩書房刊）

347　一一月二四日　「顔の文学」／主催・本郷青色申告会／本郷青色申告大学における講演／場所・本郷青色申告会館（文京区本駒込）　＊『未収録一二』　＊『１８３』　＊『質応Ｖ』

348　一二月四日　「生命について」／主催・リブロ池袋店／西武池袋コミュニティカレッジでの〈吉本隆明と時代を読む〉第四回における講演／場所・西武池袋ＳＭＡ館コミュニティカレッジ（豊島区南池袋）　＊『全講演七』『未収録二』　＊『１８３』

一九九五年（平成七年）　七〇歳―七一歳

349　一月一八日　「『全共闘白書』を読んで」（改題「25年目の全共闘論 ―『全共闘白書』を読んで」）／主催・プロジェ

クト猪・全共闘白書編集委員会／シンポジウム「語ろう世代と時代――わが全共闘体験と表現行為」における基調講演／場所・星陵会館（千代田区永田町二丁目）　＊『全講演九』『未収録六』　＊『１８３』

350　二月一〇日　「「知」の流通――「試行」刊行34年……現在」／主催・地方小出版流通センター／地方・小出版流通センター二〇周年記念イベントにおける講演／場所・幕張プリンスホテル（千葉市美浜区）　＊『未収録七』　＊『１８３』　＊『質応V』

351　二月一九日　「消費が問いかけるもの」／対談「「世紀末を語る――あるいは消費社会の行方について」（対談者・ジャン・ボードリヤール　司会・通訳・塚原史）／主催・紀伊國屋書店／ジャン・ボードリヤール来日記念講演・対談「第七五回紀伊國屋セミナー」における講演・対談／場所・紀伊國屋ホール（新宿区新宿）　講演要旨「消費が問いかけるもの」　当日のチラシに掲載　＊『世紀末を語る』（紀伊國屋書店刊）『全講演一二』『未収録六』（解題に「講演要旨」も）　＊『１８３』（改題「ボードリヤール×吉本隆明世紀末を語る――あるいは消費社会のゆくえについて」）

352　三月一〇日　「戦争と平和」／主催・東京都化学工業高等学校／「東京大空襲から50年　公開講演会」における講演／場所・同学校体育館（江東区千石三―二―一）　＊『戦争と平和』（文芸社刊）『戦争と平和』（文芸社文庫）

353　四月九日　「ヘーゲルの読み方」（改題「ヘーゲルについて」）／主催・リブロ池袋店／西武池袋コミュニティカレッジでの〈吉本隆明と時代を読む〉第五回における講演／場所・テキストキッチンコア（セゾン美術館別館アネックス九階豊島区南池袋）　＊『全講演七』『未収録一二』　＊『五十度』『１８３』

354　四月二〇日　「詩はどこまできたか」／主催・慶応義塾大学文学部／講座「芸術と文明」における講演／場所・同大学三田西校舎階段教室　大会議室（港区三田）　＊『未収録一〇』

355　六月四日　「六〇～七〇年代左翼と廣松渉の思想」（改題「廣松渉の国家論・唯物史観」）／主催・『廣松渉コレクション』刊行委員会／「廣松渉没後一年――講演・シンポジウム」における講演／場所・中央大学駿河台記念館（千代田区神田駿河台）　＊『未収録六』

356　六月九日　「現在と言う時代＝状況論＝」／主催・電機連合書記労働組合（全日本電機・電子・情報関連産業労働組合連合会）／「95年書記連絡会交流研修会」における講演／場所・自治労会館（千代田区六番町）　＊『未収録四』

357　六月一四日　「『神の仕事場』をめぐって」／主催・砂子屋書房／「岡井隆『神の仕事場』を読む」会における講演／場所・日本出版クラブ会館（新宿区神楽坂）　＊『未収録九』　＊『１８３』

358　七月八日　「戦争世代にとってオウム事件とは何か」（改題「わが情況的オウム論」）／主催・プロジェクト猪／緊急シ

ンポジウム「語ろう世代と時代 ―― 戦後50年とオウム真理教事件」における特別講演／場所・なかのZERO大ホール（中野区中野） ＊『尊師麻原は我が弟子にあらず』（徳間書店刊）『未収録六』

359 七月九日 「フーコーの読み方」（改題「フーコーについて」）／主催・リブロ池袋店／西武池袋コミュニティカレッジでの〈吉本隆明と時代を読む〉第六回における講演／場所・テキストキッチンコア（セゾン美術館別館アネックス九階 豊島区南池袋） ＊『全講演七』『未収録二』 ＊『五十度』『１８３』

360 七月二四日 「文学の戦後と現在―〈三島由紀夫〉〈村上龍・村上春樹〉をめぐって―」／主催・日本近代文学館／夏の文学教室「戦後50年の文学」における講演／場所・よみうりホール（千代田区有楽町 そごう七階）

主催者から依頼された色紙に、つぎのように書く。

そのとき、わたしは ありありと鏝のなかに
一匹の「病気」をみたのである。
三島由紀夫「花ざかりの森」一九九五年七月二十四日 吉本隆明 ＊『未収録九』 ＊『五十度』『１８３』

361 九月三日 「現在をどう生きるか」／主催・教育研究会（藤井東主宰） 山梨日日新聞社／「ＦＡＸ書簡ライブ版講演会」における講演／場所・山梨県立文学館講堂（甲府市貢川）／吉本のほか、芹沢俊介、山崎哲、藤井東の講演と参加者との質疑応答あり。 ＊『未収録四』 ＊『１８３』 ＊『質応Ｖ』

362 一一月一九日 「親鸞復興」（改題「親鸞の造悪論」）／主催・東洋大学文学部Ⅱ部印度哲学科学生有志／「現代日本の信」（第三回白山祭シンポジウム「危機社会に信仰はうまく機能するか」）における基調講演／場所・東洋大学白山キャンパス一一〇二大教室（文京区白山） ＊『宗教の最終のすがた』（春秋社刊） ＊『五十度』『１８３』

363 一一月三〇日 演題不明（大学に行く意味といったこと 内容不明）／主催・大阪府立住吉高等学校ＰＴＡ／場所・同学校視聴覚教室（大阪市阿倍野区北畠）／夜の懇談会にも参加。 ＊著書未収録

一九九六年（平成八年） 七一歳―七二歳

364 一月一三日 「苦難を超える――『ヨブ記』をめぐって」（改題「ヨブの主張――自然・信仰・倫理の対決」）／主催・森集会（笠原芳光主宰）／場所・芦屋市民センター（兵庫県芦屋市業平町） ＊『ほんとう』 ＊『五十度』『１８３』

365 五月一一日 「いじめと宮沢賢治」／主催・高崎哲学堂設立の会／場所・高崎ビューホテル（群馬県高崎市柳川町） ＊『賢治世界』 ＊『１８３』 ＊『質応Ｖ』

366 六月二八日 「宮沢賢治の世界――宮沢賢治生誕百年に因んで」（改題「賢治の世界」）／主催・千葉県高等学校教育研究会国語部会／場所・銚子高等学校（銚子市南小川町） ＊『賢治世界』 ＊『１８３』

367　七月二四日　「中原中也・立原道造　―自然と恋愛―」／主催・日本近代文学館／夏の文学教室「日本文学一〇〇年――恋愛をめぐって――」における講演／場所・よみうりホール（千代田区有楽町　そごう七階）
この講演時、日本近代文学館に依頼された色紙に、つぎのように書く。
鄙びたる　軍樂の憶ひ　手にてなす　なにごともなし
吉本隆明
＊『全講演一六』『未収録八』　＊『五十度』『183』

一九九七年（平成九年）　**七二歳―七三歳**

368　七月二一日　「作品にみる女性像の変遷　―透谷・漱石・鴎外から太宰・埴谷まで―」／主催・日本近代文学館／夏の文学教室「近代文学のなかの女性」における講演／場所・よみうりホール（千代田区有楽町　そごう七階）この講演時に、日本近代文学館より依頼された色紙に、つぎのように書く。
生命量の違う　ものの間に　起る恋愛
一九九七年七月二十一日　吉本隆明
＊『未収録九』　＊『183』

369　一一月八日　「メディアと文学」（内容不明）／主催・情報文化学会／情報文化学会第五回全国大会公開講演会における講演／場所・東京工業大学（目黒区大岡山）　＊著書未収録

370　この年、講演「大衆消費社会論」（月日、内容不明）／主催・PHP研究所／福田和也、大塚英志、女性のSF作家、工学系の男性たちの勉強会（おもに福田のための会）における講演／場所・PHP研究所会議室（千代田区一番町）＊著書未収録

一九九八年（平成一〇年）　**七三歳―七四歳**

371　九月二五日　「日本アンソロジーについて」／主催・文京区立鷗外記念本郷図書館／第二六〇回文学講演会における講演／場所・同図書館（文京区千駄木一―二三―四）＊『未収録二』（改題「日本の詩歌の始まりについて」講演後半部分）『未収録三』（改題「安藤昌益の「直耕」について」講演前半部分）
＊『183』　＊『質応Ｖ』（「安藤昌益の「直耕」について」）

二〇〇〇年（平成一二年）　**七五歳―七六歳**

372　一一月三日　「言語のデザインとしての近代詩」／主催・日本文化デザインフォーラム・（財）平安建都1200年記念協会／「第23回　日本文化デザイン会議２０００京都」における基調講演「創像新世紀」／場所・国立京都国際会館（京都市左京区）　＊著書未収録　『資料集一五四』（「基調講演創像新世紀」として）

二〇〇三年（平成一五年）　**七八歳―七九歳**

373　九月一三日　「普通に生きること」／主催・東京糸井重里事務所「ほぼ日刊イトイ新聞」／『ほぼ日刊イトイ新聞』

創刊5周年記念超時 間講演会「智慧の実を食べよう。300歳で300分」における講演／場所・東京国際フォーラムホールC（千代田区丸の内）／出演・吉本隆明 谷川俊太郎 藤田元司 詫摩武俊 小野田寛郎 司会・糸井重里 ＊『未収録六』 ＊『183』（改題「ふつうに生きるということ」）

374 一〇月三日 「受賞者のあいさつ」／主催・一般財団法人新潮文芸振興会／第二回小林秀雄賞贈呈式におけるあいさつ／受賞者・『夏目漱石を読む』吉本隆明 『会社はこれからどうなるか』岩井克人／場所・東京全日空ホテル（港区赤坂）「受賞者のあいさつ」について、新聞ではつぎのように吉本のことを記している。

吉本氏は「大変感謝している」と切り出し「西洋や今日の日本で〝三角関係〟と言えば、一人が除外され、男女の愛人関係が成立する。文明開化という近代化の過程にあった日本で、三角関係はどうだったのか。漱石はそこに固執し、生涯の作品の大部分を費やしたといってよい」と説明。「（漱石が描いた）恋愛は命懸けで抜け道がなく、三者三様に自滅する。単なる不倫とはいえず、そこには近代社会の精神の問題が関係している。今の日本社会は、こんな状態を離脱していると思う」などと、身ぶりを交え熱弁をふるった。 （『山梨日日新聞』第四四二六六号 一〇月一六日）

受賞者のあいさつは比較的短いものだが、吉本のあいさつは、途中で主催者側が四回終了時間を告げるほど長いあいさつだった。 ＊著書未収録

375 一一月一四日 昼 「休暇が取れない日本」／主催・東京労働局、全国労働基準関係団体連合会東京都支部、東京労働基準協会連合会／長期休暇取得推進2003東京大会における記念講演／主題・長い人生、あなたの「ゆとり」は何ですか？／場所・東商ホール（千代田区丸の内） ＊『未収録四』

376 一一月一四日 夜 「受賞者のあいさつ」／主催・詩誌『歴程』／第四十一回藤村記念歴程賞受賞式におけるあいさつ／二〇〇三年歴程祭〈未来を祭れ〉／受賞者・『吉本隆明全詩集』吉本隆明 『箱入豹』井坂洋子／場所・ホテルメトロポリタンエドモント（千代田区飯田橋）「受賞者のあいさつ」について、『週刊読書人』ではつぎのように記している。

吉本隆明氏は「高村光太郎の詩を読んだのが詩に触れた一番初めです。詩の落第生で、ある時期から詩を書かなくなってしまいました。今、歴程賞をいただくということは、小林秀雄賞と同じで香典替わりじゃないかな、と思っています。非常に名誉なことで、自分が親しくしてきた詩人たちと並べられたのかなと感じています。これを機に詩を書けと言われるのですが、恥ずかしくて賞還元セールみたいなことはなかなかできない。詩というのは持続が大事で、言葉を表現するという点での持続は色々姿を変えながらしてきたように思いますが、詩に関しては途中でやめてしまって落第生だったなと思います。香典をもらう死がくるまではどこかで言葉の表現の持続はしていく気でおります。詩については約束できませんけども言葉の表現ではできるんじゃないかと思っていて、

瀕死の詩人に賞をいただいた、せめてものお約束です」と語った。（一一月二八日付　第二五一四号）

また、川口晴美は、つぎのようにまとめている。

受賞者の吉本隆明さんは車椅子で、少し照れた笑顔を浮かべ登場された。『夏目漱石を読む』（筑摩書房）で小林秀雄賞を受賞されたばかりだが、「僕は詩の落第生、ある時期以降書かなくなってしまったので、歴程賞をもらったことをどう考えたらいいのか。小林秀雄賞と同じで香典じゃないか」と、会場を笑わせた。

これ以降、詩の素晴らしい創造物が生まれてくるとは自分でも想像できない、これを励みに詩の世界に貢献できる可能性はないのではないかと思い、恥ずかしくてしょうがない。そう繰り返しながらも、自分にとって高村光太郎が詩を読んだ最初で、草野心平さんは何ともいえない親しみを高村光太郎に、また違う意味で宮澤賢治に持っておられて、彼らは若い自分たちにとって完成されたアイドルだという気持ちを持ち続けてきたので、受賞は非常に名誉なこと、と語られた。

詩はこわい。これを期に詩を書いてやろうとしても、ずっと批評家としてやってきた自分の眼から見れば、こいつは長く詩を書かないでいていきなり書いたというのが見えるだろう。持続がないというのは、誰でもわかる。

言葉を学習することについての全体的な持続ならば、いろいろ形を変えながらやってきて、これからも持続していくつもりだが、肝心な詩については自分はやめてしまった。一番大事なのは持続だ。そのように、吉本さんはすべての参会者の心に響く言葉を投げかけてくれた。（『歴程』二〇〇四・一号より）　＊著書未収録　＊『資料集一六二』（『週刊読書人』記事「藤村記念歴程賞の贈賞式」として）

二〇〇六年（平成一八年）　八一歳―八二歳

377　一〇月一一日　「あいさつ」／主催・講談社／「清岡卓行を偲ぶ会」におけるあいさつ／「清岡卓行を偲ぶ会」（発起人・大岡信　那珂太郎　高橋英夫　吉本隆明）／場所・私学会館六階（現・アルカディア市ケ谷　千代田区九段北）

一〇月二五日『毎日新聞』夕刊（第四六九七七号）の記事「絶望と闘う静寂の日々思い　詩人・清岡卓行さんを偲ぶ会」（酒井佐忠）によれば、「私のような東京下町の悪ガキとは違った。若いころ水ギョーザを作ってくれたことがある。これからも水ギョーザを見ると、清岡さんの詩の世界を再現させることになる」と語ったという。

また、一一月七日『讀賣新聞』（第四六九三四号）の「記者ノート　清岡卓行の言葉　心に深く」（小屋敷晶子）によれば、「清岡さんの魂に」と献杯し、「かつて詩の同人を集めて水餃子をふるまってくれた。半世紀会わなかったが、作品の交換はずっと続けてきた。私の至らないまじわり方の代償のように、水餃子を食べるたびに清岡さんの作品を思い出すことが、これからの交流だと思っています」と語ったという。

＊著書未収録　『資料集一七六』（『讀賣新聞』記者ノート）

378　一一月二八日　「芸術言語論講義」のビデオ収録。第一回／収録者・田中理恵子　同席・橋爪大三郎／場所・吉本宅　＊『日本語のゆくえ』（光文社刊　↓『日本語』）『日本語のゆくえ』（光文社知恵の森文庫　↓『日本語』文庫）

379　一二月九日　「芸術言語論講義」のビデオ収録。第二回／収録者・田中理恵子 同席・橋爪大三郎／場所・吉本宅＊『日本語』『日本語』文庫

二〇〇七年（平成一九年）　八二歳―八三歳

380　一月二〇日　「芸術言語論講義」のためのビデオ収録。第三回／収録者・田中理恵子　同席・橋爪大三郎／場所・吉本宅　＊『日本語』『日本語』文庫

381　二月六日　「芸術言語論講義」のためのビデオ収録。第四回／収録者・田中理恵子　同席・橋爪大三郎／場所・吉本宅　＊『日本語』『日本語』文庫

382　三月一日　「芸術言語論講義」のためのビデオ収録。第五回（最終回）／テーマ・新しい詩人について／収録者・田中理恵子　同席・橋爪大三郎　白石明彦（『朝日新聞』編集委員）／場所・吉本宅／このときの講義をもとに、翌月の『朝日新聞』に記事掲載。　田中理恵子による解説講義「芸術言語論」日程・第一回（二〇〇七年一一月二〇日）／第二回（一一月二七日）／第三回（一二月四日）／第四回（一二月一一日）／第五回（一二月一八日）／第六回（二〇〇八年一月八日）／第七回（一月二二日）／第八回（一月二九日）　＊『日本語』『日本語』文庫

383　四月二四日　「日本浄土系の思想と意味」／主催・親鸞仏教センター／第五回「親鸞仏教センターのつどい」における記念講演／場所・学士会館本館（千代田区神田錦町）＊『地獄』

二〇〇八年（平成二〇年）　八三歳―八四歳

384　七月一九日　「芸術言語論　―沈黙から芸術まで―」／主催・ほぼ日刊イトイ新聞／「ほぼ日」10周年記念企画における講演／場所・昭和女子大学人見記念講堂（世田谷区太子堂一―七）

当日のパンフレットにつぎの掲載あり

「談話」（聞き手・糸井重里）「おれのやったことは、数十年で、たかが知れているけど」（ほぼ日刊イトイ新聞）

「「芸術言語論」直筆つなぎ原稿」写真

「講演のための構成表」（用語についてのこれまでの著作のなかから抜粋掲載あり）

「最近の「ほぼ日刊イトイ新聞」の吉本隆明さんのコンテンツ」（「吉本隆明」「日本の子ども」「２００８年 吉本隆明」「親鸞」よりそれぞれ抜粋）＊『未収録一二』　＊『１８３』

385　一〇月二七日　「芸術言語論　その２　自宅から生中継。」／共催・紀伊國屋書店／ほぼ日刊イトイ新聞／場所・新宿　紀伊國屋ホール／原丈人、デフタ・パートナーズの「ＸＶＤ」（映像通信方式）による自宅と会場を結んだ映像ライ

ブ／吉本家（吉本隆明／糸井重里）紀伊國屋ホール（司会・細田正和　共同通信社文化部長）　＊著書未収録（『未収録一二』に当日配布された「芸術言語論　その２　講演メモ」のみ収録

二〇〇九年（平成二一年）　八四歳―八五歳

386　六月二〇日　「詩について」（改題「孤立の技法」）／インタビュー「孤立の技法」（聞き手・瀬尾育生）／主催・思潮社／「現代詩手帖創刊50年祭　これからの詩どうなる」における講演、インタビュー／場所・明治安田生命ホール（新宿区）＊『未収録一〇』

「無題」（編集部からの「これからの詩どうなる」という問いかけに対しての回答）　『現代詩手帖創刊50年祭　これからの詩どうなる』（東京都新宿区市谷砂土原町三―一五　思潮社）小冊子

387　九月二二日　「受賞記念講演」／主催・花巻市／第一九回　宮沢賢治賞・イーハトーブ賞贈呈式（選考・宮沢賢治学会イーハトーブセンター）における講演／場所・花巻なはんプラザ（花巻市大通一丁目）／宮沢賢治賞本賞・吉本隆明（賞状、正賞・空のクリスタル、副賞・一〇〇万円）

授賞理由・宮沢賢治の考えと所業を「わたしの思想にとっても永続的な課題のひとつ」ととらえ、永年にわたり賢治研究、評論活動を続ける。戦後最大の思想家とよばれる知的活動は、時代と社会と人々に多くの影響を与えている。『吉本隆明五十度の講演』（二〇〇八年）刊行を機に、その業績に対して。

パンフレットに「受賞のひとこと」掲載

＊『賢治世界』（改題「宮沢さんのこと――第十九回宮沢賢治賞受賞者あいさつ」）

これ以降、講演はない。

【『続・最後の場所』第11号での「場所」の訂正】

一九七一年（昭和四六年）　一二月一九日

130　「国家・共同体の原理的位相」の場所「愛知県名古屋市教育会館」を「名古屋市教育館（名古屋市中区錦三丁目）」に。

一九七二年（昭和四七年）　七月六日

135　「連合赤軍事件をめぐって」の場所「神奈川県　横浜勤労会館」を「県立勤労会館（横浜市中区寿町一―四）」に。

【『続・最後の場所』第12号での「場所」の訂正】

一九八六年（昭和六一年）　一二月九日

230　「作家の死　芥川～三島」の場所「竹の塚社会教育館（足立区中央本町）」を「竹の塚社会教育館（足立区竹の塚）」に。

（二〇一三年七月二六日脱稿）

【資料・単行本未収録】

平田清明の所有論、国家論批判

吉本隆明

（1970・7・25開催〔会場／西荻南教会〕の討論第2部の吉本発言を抜粋、「止揚シリーズ1」から転載）

さっきのプライベートとインディビデュアルとを区別しなければならないという観点ですが、これは平田さんの考え方を批判したほうがはやいからそうしてみましょう。つまり、平田さんの考え方というのは、どこが根本になっているかというと、「所有」という概念が根本になっているのです。所有というのはつまり経済学的な概念なのですが、その所有概念が基本になっていて、つまり「労働」といわれているもの、経済・社会構成というふうにいわれているもの、あるいは「交通」といわれている概念はすべて「所有」の表われであるというふうな理解の仕方をしておられる。そしてまた、たとえば地代みたいな〝俺がつくって俺がとった〟とか〝俺がつくってだれかにとられた〟というような意味あいじゃなくて、地代みたいなものを「所有としての所有」というような概念で考えておられるわけです。そうしておいて、そのことはたいへん珍しい視点でして、僕は面白く思って読んできたのです。

ただ平田さんのそういう考え方がいちばん欠点となってでてくるのは、やはり国家論というところででてくると思うのです。国家論という場合でも、平田さんはそういう言葉を使っているのだけれど、第一次形成というのと第二次形成というのがあるといっていて、さきほどいわれましたプライベートな利益（インディビデュアルな個体的な利益じゃなくて、私的な、つまり自分がとって他を排するというような意味あいの私的利益）というものを、つまり法的に、そういう言葉を使っていますけれど、実定法的な段階で公的なものとしてさしだしてしまうような概念に移っていくのが、国家の一次形成から二次形成への転化だといっているのです。それでは、一次形成というのはなにかというと、本来的にはインディビデュアルなといいますか、個体的な利益というものが公的な形であるいは公共的な形で、法なら法、あるいは制度なら制度として確定されるというのが、いわば国家の一次的形成なのだといっている。けれども、それはただちに資本家社会では、二次的形成つまりインディビデュアルな個的なということではなくてプライベートな利益を、国家が公共的なものとして公的に承認してしまうというようなところに転化してしまう。そうするとプライベートに利益盛んな資本家にとって、国家はたいへん密着したたいへん有利な公共性になる、というようなそういう概念での展開の仕方をしているわけです。

それからまた「市民社会」の概念についても、平田さんの概念では市民社会というのは本来的はインディビデュアルなつまり個体的な利益が、個体的に擁護されて成立しているようなそういう社会というものを考えているわけです。しかし、この市民社会なるものは、ただちに別なものに転化してしまう。それは「資本家社会」に転化してしまうというふうにいっているのです。つまり、プライベートな利益を社会的段階で受けるやつがいるかと思うと、それからまったく見放されている連中ができてしまうというような社会にね。つまり、市民社会の概念は、元来は個体的な概念、つまり個体の利益あるいは個人の利益というような概念で（利害というのは概念なのだけれども）、それはただちに転化して、資本家的社会というものに転化してしまうというのが、平田さんの市民社会についての概念なのです。それで、根本に所有という概念ができているわけですが、僕は国家論の場合でも、市民社会に対しての解釈の場合でまちがいだと思うのです。

国家幻想の考察の欠落

なぜならば、つまりその結果どういうことになってくるかといいますと、まず国家のほうからいいますと、国家というもの――つまりこれは国家本質をいわば僕の言葉でいって「共同幻想」というふうにいいますと――国家というものが国家として転化する（たとえば風俗、習慣あるいはそれから部落とか地方とかにおける村内法、そういうようなものから、宗教、法そして国家というように）、つまり幻想として、観念として、観念の共同形態として、つまり国家として独立に転化してくるというケースが、まったく抜け落ちてしまうということなのです。だから、所有という概念をつかっていて面白いけれど、しかしはっきりいってしまえば〝国家というのはもともとそうではないのに、要するに支配者に都合のいい国家というのが国家なのだ〟というふうにいっているだけなのです。そして、その〝支配者に都合のいい〟というのはなにかというと、市民社会、つまり経済・社会構成における私的利潤の追求をし、あるいは蓄積をし、また収奪をしていくやつがいるかと思うと、そいつから見放されているやつがいるというようなそういう概念です。それのいわば対応概念として、国家概念というのがでてくるものですから、いっぽうでもって、国家が共同観念自体として、風俗、習慣とか法とかそういうものから転化していったというそういう面が、つまり共同観念なら共同観念として転化していくといった面が抜け落ちてしまって、非常にちがう言葉を使っているけれども、一種の単純な〈反映論〉にすぎないという面がでてくるということです。

ところで、国家、あるいはもっと厳密にいって、政治的国家とか、法的国家、あるいは、そのあらわれである、国家権力というものは、下部構造がつまりそのもとにおける社会、あるいは経済・社会構成がどうであるということと、べつに対応するわけではないのです。つまり対応するわけではないというのは、対応するというふうに考えたらちょっとちがうのだという面があるのです。だから、極端なケースをいいますと、ここにたとえばまったく出所、出自不明な一勢力があって、その勢力がいきなりどこかからやってきて、国家というものをあるいは政治的国家というものをサッと横あいからさらってしまって、国家をつくり支配者にすわってしまうということがありうるわけなのです。つまり、下部構造が変わらなければ、上部構造なんて変わらないぞなんていうんじゃなくて、国家というものは、まったく正体不明なものがヒョッと横あいからやってきて、とにかくなんらかの意味で力をもってやってきて、そしてヒャーッとさらってしまってそして国家をつくりあげ、そしてそのもとにおける社会というもの、あるいはもっといえば経済・社会構成というものを支配する体系をつくってしまうということがありうるのです。これは人類の歴史のなかでたくさんありえますし、それからたとえば日本の統一国家の成立というものを、「大和朝廷」の成立というふうに考えてみますと、大和朝廷というのはだいたいどこからきたのか、何人であるのかわからないわけですよ。いまだにわからないわけですよ。だけれども、そういうのがヒョロッとやってきて、日本の経済・社会構成は少なくとも考えられる限りでは数千年とか数万年とかいわれるわけなのですけれども、天皇制（少なくとも統一国家を成立させた勢力）が支配したのは千数百年をでないのですよ。そしてその正体は依然としてわかりません。つまり、これはどこからやってきたのか大陸からやってきたのかだいたいわかっていないのですから、何人であるのかもわかっていませんから、そういうのが横あいからなんらかの意味で力を発揮して、そしてそれで統一国家をつくって、そのもとにおける社会的収奪をやるということはできるのですよ。ありうるのですよ。

だから、そういう面が平田さんの考察では、ぜんぜんでてこないということがあるのです。だから、このことは逆な意味でそれでは国家あるいは国家権力あるいは、政治あるいは政治権力というものはどういうふうにしたらぶっ倒れるのか、というような問題にもつながってゆくわけです。そうしますと迷信が流布されていましてね。たとえばレーニン流にいえば、経済・社会構成が一定の成熟度を示さなければ、つまりいくつかの条件が満たされなければ国家における政治革命というのは成立しないのだ、というような迷信が流布されているわけですけれどね。そういう迷信というのはどこから流布されているのかというと、やはり一種の〈反映論〉から流布されてくるのですよ。それで、そんなことはないのです。そんなことはなくても、国家というものは横あいからふんだくっちゃうということができるのですよ。ありうるのです。だいいち、日本の国家というのがそうなのだから、統一国家というのがそういうふうにできているのだから。それだから、つまりそういう面を、一般的にみますと、共同観念としての国家というものがそれ自体の進展の仕方をするというような場合に、そういうことの問題、そういう構造が抜け落ちてしまうというようなことがあるのです。

それから、もうひとつの問題というのは、もともと経済・社会的につまり社会生活を営んでいた人種というのはこの日本列島にずっと前からいたわけですけれど、そういう連中がたとえば部落内で部落の掟をつくっているとかあるいは村内だけで通用する村内法みたいなものをつくって、自分らで規定してやってきているというそういう共同性があるわけです。そういうものに対して、それにかぶさってくる政治的な国家、権力というものが、どうするかという場合に、やはりもともとからある村落などに通用している共同観念である村内法とか部落の掟とか、あるいはもっと宗教に近寄るとすればお祭りとか、そういうものをとにかく収奪するという面があるのです。経済的収奪にとどまらないのです。つまり観念的収奪ということです。この収奪というのはたとえば、もともとあった古来からあったそういうものを、政治権力としてすわった勢力が自分らの法律とか掟とか宗教的なお祭りとかというものとして、自分らがそれを祭ってしまうということ。つまり、とりあげて祭ってしまうということです。そのかわり、自分らがもってきた祭りみたいなものがあれば、それはやはり昔ながらにそこに生活して社会生活を営んでいた、つまり生活していたそういう人たちに、自分らがもともともっていた共同観念である宗教とか習慣とか掟とかそういうものをそこへ押しつけてしまう。そのかわり、もともとあったものは自分らがいっしょに祭ってやるからなという形でさらってしまう。つまり、いわば共同観念の交換みたいなものが政治支配にはかならずつきものであるわけです。つまり、そういう面に対する考察というものが平田さんの考え方みたいなのでいくと、まったく抜け落ちてしまうということがあるのです。それだからそういう面が問題なのです。

それからさきほど、組織論というふうにいわれましたけれど、平田さんの考え方ではそうなのです。つまり、プライベートな排他的な利己的であるところの利益を擁護する、そういう社会が、市民社会から転化した場合にそれは資本家的な社会だと、それに対応する国家もまた一次的形成から二次的形成へ転化する。つまり、プライベートな排他的な所有を法的に擁護する、そういう国家をつくってしまうというのが一次形成から二次形成への移りかわりだというふうにいっているわけです。そうすると、それに対してほんとうの描きうる限りのわりあい理想的な社会というのはなにかといったら、それは私的な排他的な所有の擁護ということではなくて、インディビデュアルなといわれましたけれど、個体的なつまり排他的なということでは少しもない、つまりも〝俺も所有するけれど、お前も平等に所有する〟と、そういうような社会での共同性というのができたときに、それはひとつの人類の社会あるいは国家社会における理想であるというような考え方というのが平田さんの考え方からでてくるわけです。

しかし、僕の考え方というのはまったくちがうのです。プライベートな私的な排他的な所有、利益、利害調停というようなそういう問題というのは非常に情況的な現在的な問題です。けれども、僕が個体的という場合、あまり情況的ではないのです。つまりわりあい普遍的な概念であって、個体における観念というものはかならず共同観念と逆立するというふうに考えているわけです。だから究極においては、根本にはなにがあるのかといいますと、人類は好んで社会をつくってきたわけではないし、好んで組織をつくるわけでもないし、好んで国家をつくってきたわけではないのだということ。つまり、もしも動物生的にあるいは自然生的に生きて生活していて活動できて、しかも排他的にならずにじゅうぶんなる食糧をもちうるというような状態が可能ならば、もっともそれがいいということなのです。つまり、個人が自由に振舞え、自由にやっても、べつに他を侵すこともなければ、他の領域を侵すこともなく、生活できるというようなことが、もし、実現できるならば、つまり動物生的に実現することができるならば、それはたいへん理想的なのだということです。しかしながら人類はなにがゆえか知らないけれども、まるで不可避的に国家をつくってしまい、法律をつくってしまい、制度をつくってしまいというふうになってしまったのです。だから、なってしまった限りでは、これが不合理である限りはこれは打破しなければならない。打破しなければならないその場合には、かんたんにはいかない。つまり、かんたんにはいかないのだということはどういう意味かといいますと、現在の資本主義社会というものがどんなに矛盾、不合理を含んでいようと、それは人類史が数千年の経験を経てやはりつくってきた社会ですし、やっとそこに到達したわけですから、それだけの歴史的根拠というものをもっているわけです。そういう意味ではもっているわけです。どんなにくだらない社会でもそれだけの歴史的根拠はあるのです。あるいは必然性はあるのです。

共同観念には共同観念を

だから、それに対してそれが不合理であるとしてとっぱらうには、たいへんな迂回路を通らねばならないということがあるのです。しかしながら、こういうふうにしてつくってしまっていままでやってきた制度というものは、けっして人類が好んでやってきたわけでもないのです。

つまり、もっとも個人的にもっとも自由に振舞えて、かつ他を侵さないでいられるというような「動物社会」というものが想定できるとすれば、そうやっているのがいちばん幸福なわけです。しかし、人類はなにがゆえか知らないけれども観念的にそういうもの（制度とか国家とか）を不可避的につくってきてしまった。だからこそ、人間は、ほんとうは個人的に生きたいのであるにもかかわらず、つまり、個人的に、自由に振舞って他を侵さないで、自然的に生きたいのにもかかわらず、そう生きられなくなっちゃったのだ、ということなのです。だから、そこのところの認識は根本的には逆なのです。つまり、だからこそ人間は社会的動物たらざるをえなくなっちゃっているのだということなのであって、人間は社会的動物であるとか集団的動物であるとかいうのは非常に本質的な問題ではないのです。つまり、そんなことはどうでもいいのです。たいへんよく生きられて他を侵さないで生きられればそれがいちばんいいのです。だけど、そうなってはならないように人間はできてきちゃって、そういう制度をつくってきちゃったのだから、しかるがゆえに人間は集団的にも社会的にも生きなければならない。だから、集団的につくってしまった制度に不合理があればそれに対抗するには、集団的なつまり共同的な観念というものをつくりあげてそれに対抗していかなければ、これはこわれないのです。つまり観念対観念の対決あるいは対立ということです。これは経済・社会的な不合理の是正というようなそういう問題（あるいは平田さん的にいえば所有の是正というような問題）とは別個に、観念に対しては観念を、あるいは共同観念に対しては共同観念を対置させねばならない、というような問題はやむをえずしてでてくる問題であるわけなのです。

だから、共同体＝排他的私的所有というのが不合理であるから共同体＝個的所有というようなものこそが理想的であるというような平田さんの考え方には同意しないわけです。それはまちがいだと僕は思っています。つまりそれはあまりにも経済主義的なのであって、つまりそれは経済が専門だからそれはしかたがないのですけれど、やはり経済的範疇がもっているそれを逸脱してはならないということなのです。だから、経済的範疇に対しては経済的範疇を、経済的不合理に対しては所有の是正をといった問題が当然あるわけですけれど、しかし同時に、共同観念に対しては共同観念をといったような、つまり観念に対しては観念をもって対決するというようなところの問題があるわけなのです。だから、その問題ははっきりと区別し、かつ関連づけなければならないというような問題があるのです。

だから、たとえば現在でも政治的な革命というもの、あるいは政治的な変革というものが、まずイニシアルに考えられねばならないということは、非常に理論的には先験的なのです。どうしてもそうなるのです。だけれども、平田さんの考え方が、えてしていわゆる構造改革論に流れてゆくのはなぜかというと、それは、元来が経済・社会構成の範疇あるいは市民社会の範疇にある概念で、観念的な範疇（これは芸術、国家、宗教などはみなそうです）の問題をわろうというふうに考えるところに構造改革論に流れていく問題がでてくるのです。

だけれどもほんとうはそうではないので、つまりたとえば労働者とかあるいは基幹産業（経済・社会構成における主たる生産場面）における組織労働者というのがいるとするでしょ。そうすると、この労働運動というのは純然たる社会運動なわけです。社会運動に本質があるわけです。この社会運動に本質がある労働者運動は、だから賃金を上げるとか設備を是正するとか、労働時間を短縮するとか、そういう問題の要求に関する限りはたいへん立派なのですけれども、立派なことをやるし、労働者運動の団結、組織というものも必要なわけです。

組織労働者運動の本質

しかし、これを社会運動としての本質以外のところに、たとえばこれを政治過程にいれようというような場合には、ほんとうは非本質的なところにいかせるということなのです。だから、労働者運動というのが組織として、あるいは企業労働者組織として政治過程にはいっていく場合には、あまりいいことをしないのです。いいことをできないのです。つまりいいことをしないということは、わりあいに妨害したりマイナスをしたりするのです。それは当然なのです。なぜならば、労働者運動というものの本質は社会的な段階にあるわけだから。つまり、経済・社会構成（現在でいえば市民社会というものあるいは資本家社会という社会構成）のところにその運動の本質があるわけですから、それを政治過程つまり幻想過程（共同幻想の過程です）にいれこもうとすると、要するにこれはとんでもないことをするわけです。とんでもないことをすることがあるのです。

だから、極端なことをいいますと、そういう場合には、労働者運動がなしうる最大のことは〝生産場面においてなにもしないこと〟ということです。なにもしないことというのは〝きょう、それでは一日ストをしましょうか、一日サボりましょうか〟というふうにするということが最大限になしうることなのです。つまり、幻想過程における変革つまり政治革命のようなものに対してなしうる最大の寄与というのはそういうことなのです。それで組織労働者として政治過程にはいってきたら、かならずマイナスをやるのです。そういう場合にマイナスをやる以外にないのです。だから、もし産業労働者が政治過程にはいりたい場合には、これは個々のそれこそインディビデュアルな労働者として集団的に政治過程にはいる以外にないのです。つまり、産業労働者がそれ自体として政治過程にはいるというようなことはありえないし、やったらだいたいマイナスをするのです。妨害するのです。だから、そうではなくて、そういう組織労働者がはいりたいのならば、個々の労働者として共同性をもつ、というような参加の仕方でしか、政治過程にはいれないということなのです。ならば、政治過程における最大の動力とはなんなのかという問題があるのです。

イニシアルと迷信

それで、おそらくその最大の動力はなんなのかということは（これはつまり予言すると占い者になりますから予言しないですけれども）、ただ可能性として考えられるのは、さきほど僕が最大の価値だといった人です。ふだん、その人たちは〝支配者（帝力）われにおいてなんの関わりあらんや。政治になんの関わりあらんや。どこかで戦争があろうと、俺の知ったことでない〟というふうに思っている、その意味では帝力のなかに無意識のうちに無形の支配のなかにくるまれている存在であらざるをえない、しかし、そういう存在だけで考えたら、おおまちがいなのであって、そういう存在というのはただちに、その裏面のところに（たとえばこれは政治過程の場合なんかそうですけれども、戦争でもそうです）、つまり、かならずやりすぎるほど逆にやるという面があるのです。つまり、私的な利益というものに、もしなにかが接触してくる場合には、目にみえるように圧力が接触してくる場合には、ちょっと指導者が予想だにしなかったというような、そういうような裏面というのはかならずもっているのです。少なくともイニシアルをつとめるのは、かならずそれであろうというふうに僕には思われます。これが持続的に政治過程におけるあるいは政治革命における主導を演ずるかどうかというのはまったくいうことができません。しかし、イニシアルをつとめるのはけっして生産場面における組織労働者ではなくて、ロシア革命の体験にてらしてもそうであるし、これはちょっと、政治指導者が予想することができないのです。予想することができないような振舞いをするのです。つまりいきすぎをするのです。で、これは僕らの戦争中のあれでいえば、つまり軍閥のおえらがたが、いかに止めたって残虐行為をやるわけですよ。そんなのはべつに命令したわけでもなんでもないのですよ。べつになんとか指令官が命令しなくたってある場面でやるのですよ。やりすぎちゃうのですよ。そういう人たちは、だれかといったら、帰ってきたらなんでもない人ですよ。たぶん米屋さんとか魚屋さんですよ。そういう人ですよ。そういう人がやるのですよ。

つまり、それは悪いやり方の例ですけれどもね。しかし、イニシアルをつとめるのは、僕がさきほど、価値があるといったそういう人がイニシアルをつとめるだろう、ということはまちがいないことです。その場合に生産場面における組織労働者は生産場面における組織労働者として政治過程にはいったら力だ、というような考え方はまったく迷信です。その迷信というのはものすごく流布されていて、そして、その流布されている迷信の根底にあるのはひとつの〈反映論〉であること。〈反映論〉の根底にあるのはなにかというと、経済・社会構成あるいは市民社会という概念と、国家あるいは法あるいは宗教、つまり総じて共同観念、政治、制度、そういうものとを混同するということです。それの区別と関連というのを明瞭にしなければならない。それから、それ自体の歴史というのを明瞭にしなければならないということがひとつあるのです。

それから、なぜそういう迷信が生じたかということがあるのです。たとえば、そんなことをいわなければいいのだけれど、マルクスが人への手紙のなかでそういうことをいっちゃったのですよ。つまり〝俺が人類史の法則として発見したことがいくつかある。それはいわば下部構造における一定限度の変化なしには上部構造の変化というのはありえないのだ。そしてそういう問題は世界市場ということと関連するわけで、しかるがゆえに、革命なるものは同時的かつ世界的にしかできないのだ。それで、つまり自分がその唯物史観というものの定式、人類史の法則というものを発見した。それは、やはり下部構造（つまり経済・社会構成あるいは市民社会みたいなもの）における一定限度の成熟、それから変化の徴候なしには、上部構造は変化しないのだ。つまり、上部構造はそれにともなって徐々にかつある場合には急速的に変化する〃というようなことを手紙かなんかでいっちゃったのです。そうしたら、それをもとにして、人々がいろいろな定式化をやったわけなのです。だけれども、そういうことがいえるのはたいへん大ざっぱにはいえる。大ざっぱには真理であるということ。つまり、これを尺度を一世紀なら一世紀、あるいは人類の歴史が四千年あったとして、四千年なら四千年の歴史を考察したときにそういうことがいえる、ということは確かなのです。つまり、これは尺度の問題なのです。しかしながら、個々具体的な現在の問題つまり現在の情況においてなにをなすか、次にきたる情況においてどうなるのか、というような問題については、そういう意味あいの〈反映論〉は通用しないということです。つまり、逆に観念的なものが先行する場合もありますし、また逆行する場合もありますし、ひとり歩きする場合もありますし、そんなことは個々具体的な時点をとってきますといえないのです。しかし、これはたいへん歴史的に、歴史学として人類史を考察した場合には、たしかにそういうことがいえるということ。そして、だからマルクスはそういうふうに人類史の法則を発見したといった、ということはそれはそれでいいのです。

けれど、のちのちの人のためにはあまりそういうことはいわない方がよかったと思います。つまりそういうことはあるのです。だから、そういうことはたいへん明瞭に知っておかなければいけないということがあるのです。理論的にあるのです。それから迷信は迷信だということなのです。

自立とは何か

それで、だからみなさんが、「自立」というでしょう。僕は「自立」という言葉を書いたりしたことがあるけれど、「自立」といった場合に、ある場合にたいへん観念的に右翼的にみえるのです。つまり、たとえばどういうことかというと、チェコならチェコである程度芸術とか芸術の創造とかいういろいろな問題が、ある場合たいへん緩くなるでしょう。そして、いい気になってちょっと勝手にやるでしょう。そうすると、それを弾圧するでしょう。そういうことが絶えず行なわれるわけです。しかしですね。そうすると、平田さんはそれはちょっと教条主義的なゴリゴリな考え方があるからそうだというふうにいうのです。それだから、平田さんは構造改革論というふうになっていくわけなのです。

しかし、僕はそうじゃない。僕はそんなことはいわない。それはまちがいだからそういうことになるのです。つまり、お前らの理念がまちがいだからそうだといっているのです。つまり、自由であるかわがまま勝手であるかということは、制度によってありうるのです。つまり、たいへんいい制度のもとでは自由であるということになるのですけれど、いまの制度では恣意的ということになるわけです。つまり勝手気ままになるのです。だから勝手気ままになられると困るやつがいて抑えるわけです。締めるわけです。

だけどこんなのは絶対まちがいなのです。こんなのは解釈がまったくひっくり返っているのであって、芸術みたいなものが、なぜわがまま勝手にでてくるのかというと、それは経済・社会構成あるいは政治的方法のなかにおける欠陥のひとつの現われなのです。つまりそれは、象徴としてのひとつの意味をもっているわけなのです。

つまり、芸術が社会主義国で勝手気ままにしておくと、頽廃的な芸術も勝手気ままにでてくる。そうするとこれは面白くないというふうにいって抑える。それをまた、あるときには放すというようにする。これは繰り返しやっていることですけれどもね。そんなのは考え方がまちがいなのです。つまり、リベラルじゃないということじゃなくて、考え方がまちがいなのです。つまり、そういう場合に勝手気ままに芸術がでてくるとすれば、それはソ連ならソ連の政治家というものがどう考えるべきかというと、それは自分たちの政治的なやり方あるいは社会構成のなかにおける欠陥というもののひとつ象徴である、というふうに理解するべきなのです。それを弾圧したり、締めたりしたってどうしようもないのです。つまり、芸術みたいに個人の創造みたいなものはとくにそうなのですけれどね。個人の観念創造ですからとくにそうなのです。だから、こんなのがでてくるなら、かならず社会のなかに欠陥があるのです。それから、自分たちの政治方針のなかに欠陥があるのです。だから、そういうものの象徴として、自ら考えればいいのです。自ら反省すればいいのです。そして、やり方を変えればいいのです。そういう問題なのですよ。

だから〝芸術はリベラルに〟というような考え方というのは構造改革論者になっていくのです。つまり、なし崩しに弱まっていくのです。つまりなし崩しに弱まっていくというようなことになって、しかし、なし崩しの弱まり方にはつねに限度があるのです。その限度はなにかといったら、要するに〝進歩的だ〟という名目だけはほしいというやつですよ。しかし、その限度までは、どんどんフリーになっていくわけです。緩くなっていくわけですよ。それが構造改革論でしょう。しかし、そんなのはぜんぜんまちがいなのですよ。「自立」なんてものはね、そんなちゃちなものじゃないのですよ。つまりそれはまちがいだということをいいきることなのですよ。まちがいは〝まちがいだ！〟というふうにいいきることなのですよ。いいきるということは、理論的に厳密すぎるというところまでいくことなのです。だから、たとえば僕は平田さんの所有論というのは面白いというふうに思っています。つまり、所有論をもとにした市民社会論というのは面白いと思います。それから宗教と科学との関係というのも一般論としては面白いことをいっています。ちゃんと読んでいますし、面白いと思っていますけれどね。つまり、従来の、平田さん流にいえばゴリゴリの教条主義者がいえない観点からいっているところがあって、たいへん面白いと思います。しかし、その考え方は、僕は限度があると思います。

だから、それはおそらく、いまいいましたように、経済・社会構成というものと、それから、共同観念自体として（つまり制度なら制度、宗教なら宗教、共同宗教なら共同宗教として）もってきた歴史というものと、そういうようなものを、それ自体として考察しうるのだ、あるいは考察しなければならないのだということ。あるいは、共同観念に対してなにを対置させるか？　やっぱり共同観念を対置させねばならない。それから、経済的不合理に対しては経済的是正というものを対置させねばならない。そうい明瞭な問題というものをだしきっていない、ということがあると思います。

そして、そういう問題の根本のところにあるのがやはり所有、つまり〝所有とはなにか〟ということだと思います。つまり、所有というのは経済的、物質的所有というものとね、平田さんの場合には観念的所有という場合（あるいは観念的所有といっちゃうとおこるでしょうからそうはいわないけれど）、つまり間接的所有というのがあるでしょう。それを平田さんは「所有としての所有」というふうにいってます。それはつまり、地代みたいに直接なにも自分が生産しているように現象的にはみえないのだけれどなにかガッポリとはいってくるというようなことです。だから、そういう間接的な関係を通ってでてくる所有の問題とね、それから、生産場面、労働場面にじかにでてくる所有、つまり「労働としての所有」ということの問題と、それからあとひとつ、観念的所有というような問題があるわけです。それらの問題について、所有論を不当にかつ曖昧に拡大したり操作したりしている、ということについてたいへん自覚的でないということがあると思います。僕はそういう問題だというふうに思いますね。いまの問題は……。

※討論・第二部の発言者は三島康男・吉本隆明・田川健三・高尾利数。
吉本は「宗教と自立」と題した「おしゃべり」もしている。